LA JALOUSIE

METHUEN'S TWENTIETH CENTURY FRENCH TEXTS

General Editor: W. J. STRACHAN, M.A. (Cantab.)

ALAIN ROBBE-GRILLET

LA JALOUSIE

Edited by
B. G. Garnham, M.A.
Department of French, University of Durham

Methuen Educational Ltd
LONDON · TORONTO · SYDNEY · WELLINGTON

First published in France
Text © 1957 by Les Editions de Minuit

This edition first published in Great Britain 1969
by Methuen Educational Ltd
11 New Fetter Lane, London EC4P 4EE
Reprinted 1974 and 1977

Introduction, notes, and vocabulary
© 1969 by B. G. Garnham

Printed in Great Britain by
Fletcher & Son Ltd, Norwich

ISBN 0 423 76960 X

Acknowledgement

This edition is published under exclusive licence by courtesy of Les Editions de Minuit to whom our thanks are due. All rights are reserved.

Contents

Introduction

ROBBE-GRILLET'S THEORY OF THE NOVEL

Alain Robbe-Grillet is one of the leading exponents of the *nouveau roman*, a term invented by journalists, for the sake of convenience, to categorize the novels of a 'school' which arose in France in the 1950s, and which includes such authors as Michel Butor, Claude Simon, Nathalie Sarraute, and Robert Pinget. The work of this group shows a sharp contrast, in form and content, with that of the dominant literary movement of the immediate post-war years and with the traditional type of French novel as practised by major nineteenth-century writers, such as Balzac, Flaubert, and Zola. It must not be assumed that the new novelists are all writing the same kind of novel, or that their work is at the service of preconceived theories (Robbe-Grillet insists that the *nouveau roman* is a *recherche*, or search for suitable form); they do, however, share a common approach to the function of the novel, an approach which is characterized by the rejection of certain of its traditional elements. Robbe-Grillet wrote:

> Et si un certain nombre de romanciers peuvent être considérés comme formant un groupe, c'est beaucoup plus par les éléments négatifs, ou par les refus qu'ils ont en commun en face du roman traditionnel. (*Le Figaro Littéraire*, 26 mars 1958)

The new novelists have eschewed the psychological novel and the novel of action, where emphasis is laid on a strong plot, objective analysis of character and moral involvement, and the basic convention on which all these, to a greater or lesser degree, depend: the omniscient narrator. For the new novelists, the idea of a narrator who is outside the action but who enters into it, by commenting

vii

upon the behaviour and thoughts of the characters and by describing scenes with an all-seeing eye – in other words who interprets the novel and offers the reader privileged insight into a world which is closed, finite, and of which the narrator knows everything – such an idea is one in which it is impossible to believe. As Robbe-Grillet says when discussing the work of Balzac, who typifies this approach to literature:

> Qui décrit le monde dans les romans de Balzac? Quel est ce narrateur omniscient, omniprésent, qui se place partout en même temps, qui voit en meme temps l'endroit et l'envers des choses, qui suit en même temps les mouvements du visage et ceux de la conscience, qui connaît à la fois le présent, le passé et l'avenir de toute aventure? Ça ne peut être qu'un Dieu.
>
> ('Noveau roman, homme nouveau', *Revue de Paris*, Sept. 1961)

He likewise dismisses the novels of Sartre on the grounds of the author's omniscience:

> (Sartre) connaissait la signification de ses livres. Il savait ce qu'il avait à dire. Et c'est ça seulement qui l'a empêché d'être un écrivain.
>
> (Speech delivered at the University of Keele, 8 Feb. 1960)

Robbe-Grillet published an essay in 1957 entitled 'Sur quelques notions périmées' in which he examines the characteristic elements of the traditional novel – plot, character, involvement, form, and content – and the attitude to them of contemporary novelists. The approach of the essay is historical; Robbe-Grillet sees change, or evolution, as inevitable, and finds the traditional concepts of novel-construction alien to the modern mind. For example, when dealing with characters, he writes:

> En fait, les créateurs de personnages, au sens traditionnel, ne réussissent plus à nous proposer que des fantoches auxquels eux-mêmes ont cessé de croire. Le roman de personnages appartient bel et bien au passé.

Balzac created character types, who had sufficient individuality to be irreplaceable and enough generality to be of universal significance (as, for example, M. Grandet, who has individual circumstances, his own life history, his own physical appearance, and who is at the same time the personification of avarice). But such characters are out of place, Robbe-Grillet insists, in an age in which interest has shifted from the social successes or misfortunes of eminent individuals within a closed, intelligible world, to the relationship between man and the universe. The novels of Balzac not only describe a society which has disappeared; they do not, and indeed they cannot, reflect the uncertainty of modern times, resulting from, among other things, the destruction of the concept of character, due to Freudian psychoanalysis, and from man's need, and failure, to understand the nature of the universe and his own role in human affairs. And because of this, the type of plot they present – an ordered sequence of past events objectively recorded – is also unacceptable:

> Tous les éléments techniques du récit – emploi systématique du passé simple et de la troisième personne, adoption sans condition du déroulement chronologique, intrigues linéaires, courbe régulière des passions, tension de chaque épisode vers une fin, etc. – tout visait à imposer l'image d'un univers stable, cohérent, continu, univoque, entièrement déchiffrable. Comme l'intelligibilité du monde n'était même pas mise en question, raconter ne posait pas de problème. L'écriture romanesque pouvait être innocente.

Such a concept of plot has been gradually undermined (Robbe-Grillet insists upon the gradual nature of this development, citing the names of Proust, Faulkner, and Beckett), but actions, or events, have not been eliminated from the novel: it is the manner in which they are recounted and the purpose to which they are put which have changed:

> En somme ce n'est pas l'anecdote qui fait défaut, c'est seulement son caractère de certitude, sa tranquillité, son innocence.

Events are now the reflection not of external reality, but of an inner experience; the author seeks to create the atmosphere of the mind, and since the mind works within its own reality and its own time-scale, the narrative no longer reflects the workings of the 'real' world or the passage of 'real' time.

In Robbe-Grillet's essay, moral involvement – *engagement* – is no less speedily dismissed:

> Pour l'artiste, en dépit de ses convictions politiques les plus fermes, en dépit même de sa bonne volonté de militant, l'art ne peut être réduit à l'état de moyen au service d'une cause qui le dépasserait, celle-ci fût-elle la plus juste, la plus exaltante; l'artiste ne met rien au-dessus de son travail, et il s'aperçoit vite qu'il ne peut créer que *pour rien*; la moindre directive extérieure le paralyse, le moindre souci de didactisme, ou seulement de signification, lui est une insupportable gêne; quel que soit son attachement au parti ou aux idées généreuses, l'instant de la création ne peut que le ramener aux seuls problèmes de son art.

Basing his arguments upon the straightforward belief that a thesis or a philosophy deforms art, that what is properly artistic in a novel is lost in proportion to the importance given to its 'message', Robbe-Grillet explicitly pleads the case of art for art's sake, insisting that, for the artist, art must remain the most important thing in the world. Such an attitude renders the old divisions of 'form' and 'content' meaningless; the two cannot be separated:

> Parler du contenu d'un roman comme d'une chose indépendante de sa forme, cela revient à rayer le genre entier du domaine de l'art. Car l'œuvre d'art ne contient rien, au sens strict du terme. (...) L'art n'obéit à aucune servitude de ce genre, ni d'ailleurs à aucune autre fonction préétablie.

The novelist creates his work with words and phrases, grammatical constructions, and so on, just as the painter creates his work with lines and colours, and to distinguish between what a novelist says and the way in which he says it is, for Robbe-Grillet, patently absurd.

Robbe-Grillet's essay thus presents an indirect apology for the new novel, in that it concentrates upon notions which he con-

siders outdated and untenable; in other essays[1] he defines more
precisely the function and form he considers appropriate to the
new novel. He reaffirms that the writers of the *nouveau roman*, far
from laying down rules and writing according to preconceived
theories, are, in their various ways, fighting against such rigid
abstraction, and he continues to insist upon the inevitability of
change. It is the task of the novel to foster this change, by dis-
pensing with any technique which imposes an interpretation on
the action, and which selects significant episodes and orders them
so that they all contribute towards a specific meaning. If this is
done, the characters of the novel will take on a new autonomy
and authority:

> Quant aux personnages du roman, ils pourront eux-mêmes être
> riches de multiples interprétations possibles: ils pourront, selon
> les préoccupations de chacun, donner lieu à tous les com-
> mentaires, psychologiques, psychiatriques, religieux ou poli-
> tiques. On s'apercevra vite de leur indifférence à l'égard de ces
> prétendues richesses. Alors que le héros traditionnel est constam-
> ment sollicité, accaparé, détruit par ces interprétations que
> l'auteur propose, rejeté sans cesse dans un *ailleurs* immatériel et
> instable, toujours plus lointain, toujours plus flou, le héros futur
> au contraire demeurera là. Et ce sont les commentaires qui
> resteront ailleurs; en face de sa présence irréfutable, ils paraîtront
> comme inutiles, superflus, voire malhonnêtes.

And following this shift of emphasis in the subject-matter, the
language of the new novel must also change; the age of rhetoric
and lyricism has gone, to be succeeded by a style less ambitious
in itself, but more in keeping with the restricted horizons which
the new novelists seek to describe:

> C'est donc tout le langage littéraire qui devrait changer, qui déjà
> change. Nous constatons, de jour en jour, la répugnance
> croissante devant le mot à caractère viscéral, analogique ou

[1] 'Une voie pour le roman futur', *Nouvelle Revue française*, July 1956; 'Nouveau
roman, homme nouveau', *Revue de Paris*, Sept. 1961; 'Nature, humanisme, tragédie',
Nouvelle Revue française, Oct 1958. All are reprinted in *Pour un nouveau roman*.

incantatoire. Cependant que l'adjectif optique, descriptif, celui qui se contente de mesurer, de situer, de limiter, de définir, montre probablement le chemin difficile d'un nouvel art romanesque.

The new novelist should use this style to present the moment of confrontation between an individual mind and reality. In this way the reader will be free to draw his own conclusions, subjected as he is to 'la réalité brute'. It is this wish not to distort experience by imposing patterns of meaning upon it which accounts for the long, minute descriptions of objects which the reader finds in many 'new' novels, and which are a particular characteristic of the work of Robbe-Grillet. These descriptions are designed to convey a sense of the presence ('l'être-là') and the neutrality of objects, and also to convey the distance between them and man.

(Les choses) ne seront plus le vague reflet de l'âme vague du héros, l'image de ses tourments, l'ombre de ses désirs. Ou plutôt, s'il arrive encore aux choses de servir un instant de support aux passions humaines, ce ne sera que temporairement, et elles n'accepteront la tyrannie des significations qu'en apparence – comme par dérision – pour mieux montrer à quel point elles restent étrangères à l'homme.

Robbe-Grillet insists upon this distance between man and objects because it is here that the truth of life lies. The world is neither meaningful nor absurd (in the existentialist sense); it merely exists. Objects have no hidden depths; they hide no meanings beneath their surfaces, and there can be no union or harmony between them and man. Man must accept life in a world without meaning, and reject the old traditions of humanism which seek to bind him to nature and involve him in transcendental metaphysics. Man must discover his path without recourse to metaphysics, and the first step is the recognition that the world exists, and nothing more. Thus in his novels Robbe-Grillet seeks to avoid symbols, metaphors, mystical *correspondances* which 'humanize' objects and place man in a significant world; the minute, geometric descriptions of objects and scenes provide him with a means of restating, in literary form, these first principles:

> Enregistrer la distance entre l'objet et moi, et les distances propres de l'objet (ses distances *extérieures*, c'est-à-dire ses mesures), et les distances des objets entre eux, et insister encore sur le fait que ce sont *seulement des distances* (et non pas des déchirements), cela revient à établir que les choses sont là et qu'elles ne sont rien d'autre que des choses, chacune limitée à soi. Le problème n'est plus de choisir entre un accord heureux et une solidarité malheureuse. Il y a désormais refus de *toute* complicité. Il y a donc refus du vocabulaire analogique et de l'humanisme traditionnel, refus en même temps de l'idée de tragédie, et de toute autre idée conduisant à la croyance en une nature profonde, et supérieure, de l'homme ou des choses (et des deux ensemble), refus enfin de tout ordre préétabli.

Such are the main threads of Robbe-Grillet's theory on the novel. He has written these articles for the most part in reply to adverse criticisms, feeling himself called upon to defend himself against the charges that he was 'dehumanizing' literature, that he was reducing it to an arid cataloguing of objects, and that he was exploiting, for their own sake, techniques which served only to make his novels incomprehensible. In his replies to these criticisms, Robbe-Grillet might be deemed over-zealous to bury the past. His rejection of the traditional novel is made without compromise, and is partly to be explained by his desire to see the novel evolve, but it must be said that his arguments against the omniscient narrator are not watertight: Robbe-Grillet must himself exercise editorial omniscience in the choice of what experiences his characters undergo; behind the confrontation of mind and matter in the novels, Robbe-Grillet, however far removed he may be from the actual stage, is still at work, selecting and ordering. He has written all his novels to carefully preconceived plans, and is therefore imposing some meaning upon them. His novels lack the rounded finality of Balzac's, but Robbe-Grillet is still the master of his universe. It is now the appropriate moment to investigate this universe as it appears in the novels published before *La Jalousie*, before passing to an examination of *La Jalousie* itself.

TWO EARLIER NOVELS

La Jalousie (1957) is Robbe-Grillet's third published novel: the two which precede it – *Les Gommes* (1953) and *Le Voyeur* (1955) – show his constant preoccupation with objects and scenes, and his wish to present individual experience in the individual's terms, without the imposition from outside of a specific meaning.

Robbe-Grillet, in an introduction to *Les Gommes*, defines it as follows:

> Il s'agit d'un événement précis, concret, essentiel: la mort d'un homme. C'est un événement à caractère policier – c'est-à-dire qu'il y a un assassin, un détective, une victime. En un sens, leurs rôles sont même respectés: l'assassin tire sur la victime, le détective *résout* la question, la victime meurt. Mais les relations qui les lient ne sont pas aussi simples ou plutôt ne sont aussi simples qu'une fois le dernier chapître terminé. Car le livre est justement le récit des vingt-quatre heures qui s'écoulent entre ce coup de pistolet et cette mort, le temps que la balle a mis pour parcourir trois ou quatre mètres – vingt-quatre heures «en trop».

This is indeed a detective story, complete with murderer, victim, and detective, but one in which the technique is far removed from that of Simenon. We find long, detailed descriptions, interior monologues, reversals of time, imaginary scenes – and the classical myth of Oedipus. Wallas, the detective entrusted with the search for the would-be murderer of a professor of political economy (who is only wounded, but, for reasons of security, publicly proclaimed to be dead), follows the trail across an unspecified city, and by force of circumstance, is himself led to commit the murder (hence the reference to the twenty-four hours the bullet took to reach its mark). *Les Gommes* is more than a detective story, although it does contain the classic elements of the genre: mystery, false trails, a surprise ending, and so on. The influence of the myth of Oedipus is pervasive, Wallas being a modern incarnation of the man sworn to discover the identity of a murderer, only to find that it is none other than himself. This in itself adds another dimension to the novel, but it is in the manner of psychological description that *Les Gommes* is particularly striking.

As Wallas follows the clues of the attempted murder, he is obsessed by the need to procure a certain kind of india rubber, and it is in the description of the various rubbers which Wallas examines in his search that Robbe-Grillet exercises his characteristic predilection for detailed analysis. The rubbers are scrutinized, weighed, and measured, but not in purely detached fashion, for Robbe-Grillet conveys, by the attitude of Wallas to the rubbers, certain details of his character: for example, his desire for self-destruction (the rubbers represent effacement) and his eroticism (each attempt to buy the particular rubber is accompanied by a wave of erotic desire in Wallas). Robbe-Grillet reveals the state of mind of his character by describing the way in which objects appear to that character, giving literary form to the basic truth that the individual does not see the world as a camera sees it, but, as a result of previous experience, adds to the incoming sensory information. The result is a far richer perception of the world than a camera can achieve, and this is the source of Robbe-Grillet's characterization technique. In this way, objects minutely described, become 'psychiatric objects' (or *objets-supports*) – a technique which is particularly exploited in *La Jalousie*. In *Les Gommes* the mental processes of his characters, instead of being totally expressed in images, are also often conveyed by more traditional means, such as commentaries or interior monologues.

Les Gommes contains other techniques and preoccupations apparent in Robbe-Grillet's later works: a 'circular' plot, which begins and ends at the same point, and the substitution for 'real' time of 'psychological' time (the events of the novel are seen from the viewpoints of different characters, who each place their own pattern on them thereby distorting absolute reality and time). There is no social or political engagement, but the examination of themes which are properly the concern of the individual and his subconscious.

Le Voyeur concerns Mathias, a watch-salesman, who comes to a small island (possibly his birthplace), seeking customers. During his stay he gives signs of psychic disorder, in this case sadistic schizophrenia, and murders (after real or imaginary torture and rape) a young girl. The novel follows Mathias before and after this event, and traces the circumstances leading up to it and the attempts of Mathias to escape detection and punishment (the *voyeur* of the title is not Mathias himself, but a young boy who witnessed the crime). This is a powerful study of a man beset by his own subconscious impulses, which he cannot understand, and external forces (the actions of others) beyond his control, all of which constitute a danger to him.

This novel is much closer than *Les Gommes* to *La Jalousie* in terms of subject and technique. The characteristic shifts in time and space, the imaginary scenes and the repetitions of scenes are more closely interrelated in a cohesive unity, for whereas *Les Gommes* had the disadvantage of multiple narration and diversified points of view, *Le Voyeur* is dominated by one character and his thought processes. Robbe-Grillet has not achieved the complete unity of view of *La Jalousie* (where the husband-narrator is the only witness to events), for on occasion he describes scenes with eyes which are not those of Mathias, but he has discarded commentary and interior monologue as means of presenting character. He develops the technique of the 'psychiatric object' – in this case the shape of the figure eight in endless variations (the number itself, a piece of string, the wheels of a bicycle, spectacles, smoke rings, and so on), a packet of cigarettes, and posters outside a cinema. Indeed *Le Voyeur* may be seen as the natural sequel to *Les Gommes*, in that the techniques of the earlier novel have been refined. The style is purer, less facile, more visual. The interrelation between the different objects described and the liaisons between scenes are more satisfying. Events have less prominence, and clearly Robbe-Grillet is progressing towards a more subjective literature (the natural consequence of his theory of the novel), and it is in this respect particularly that these two novels prepare the ground for *La Jalousie*.

LA JALOUSIE

La Jalousie contains three characters: the owner of a banana plantation in an unspecified tropical country, his wife, who is referred to
throughout as A., and Franck, the wife's presumed lover. It is
narrated by the husband, who recounts events he witnesses, but
who also recreates these events in his memory, re-examines them
in order to deduce the reasons for his wife's conduct, and allows
them to be modified by his imagination. In this way, the actual
'story' of the jealous husband's suspicions and A.'s behaviour towards Franck is not told in strict chronological order, but, abound-
ing in repetitions, flashbacks, projections into the future, and
imaginary scenes, is conveyed by a direct penetration into the
husband's mind as he records the things he sees, remembers and
imagines during a severe crisis, a short period of extreme mental
strain. As Robbe-Grillet wrote in an introduction to the first
edition:

> Ce narrateur irréductible, toujours présent, ne peut se soucier de
> chronologie. Toute scène est pour lui actuelle, ou perdue. Le
> champ de sa perception constitue l'univers, *ici* et *maintenant*.

Robbe-Grillet thus seeks in this novel to convey a state of mind,
that of a man painfully torn by the suspicion that his wife has a
lover, and his method is to expose the reader directly, without
comment or analysis, to the emotions of his character. This ex-
posure is made all the more effective by the formal removal of the
narrator from the scene: the husband never refers to himself
directly in terms of name, personality, or physical appearance; he
does not record his own speech or actions, and he expresses
no opinion or comment. His narrative is primarily visual,
and the main achievement of the novel lies in the manner in
which Robbe-Grillet conveys different states of the husband's
passion through the description of what he sees (or remembers, or
imagines).

Before entering into a detailed study of this technique, it is
important first to establish the significant events and scenes which
the narrator records. Any attempt to 'reconstruct' the novel in

terms of a strict chronology would, of course, destroy the very qualities which constitute its merit, but an appreciation of these qualities is greatly helped if the main threads of the action can first be determined.[1]

The narrator who, from the beginning shows great interest in everything surrounding him (the shape of the house, the disposition of the banana-trees, the arrangement of objects inside the house or on the terrace), watches his wife closely and notes in detail the way in which she performs such ordinary, everyday actions as brushing her hair, writing a letter, or reading a book. The book has been lent to her by Franck, a neighbouring planter, who has come to dinner; his wife is ill and has stayed at home. The narrator records conversations between A. and Franck before and after dinner, and notes the arrangement of the chairs on the terrace, which is such that A. and Franck sit close to each other, whereas the husband's chair is set to one side, so that he cannot see them without turning his head.

Two important scenes are introduced: first, a centipede appears on the dining-room wall during dinner, and is crushed by Franck; the narrator notes A.'s reactions, which are manifestly sexual (accelerated breathing, the clenching of her hand on her knife, and so on), and the stain left on the wall becomes associated, in his mind, with the possibility of a physical relationship between A. and Franck. Secondly, the three characters are drinking on the terrace when it is noticed that A. has not brought any ice, and the husband, obliged to fetch some, watches A. and Franck, who are now left alone, and on his return sees a sheet of blue paper, possibly a letter from A., protruding from Franck's pocket. This scene suggests that A. and Franck are acting in concert and have devised a common plan.

Franck declares his intention of going to the near-by town to make inquiries concerning the purchase of a new lorry, and A. immediately suggests that she accompany him to do some shopping. They propose to leave early in the morning and return the

[1]Robbe-Grillet wrote: 'Vouloir reconstituer la chronologie de *La Jalousie* est impossible, impossible parce que je l'ai voulu ainsi.' (*Les Nouvelles littéraires* 22 janvier 1959)

same night. They depart early one morning, leaving A.'s husband alone in the house; throughout the day the husband, whose jealousy seems to have reached a climax, turns over in his mind various previous scenes (A. writing a letter in her bedroom, the crushing of the centipede, the episode of the missing ice, and so on), scenes which his imagination intensifies and dramatizes. He seeks to remove the stain left by the centipede on the dining-room wall; he searches A.'s room for incriminating evidence, and in the evening, when A. and Franck have not returned, he surrenders to further fantasies.

A. and Franck return the following day, explaining that they have been obliged to spend the night in a hotel as Franck's car had broken down. Franck seems embarrassed and soon leaves for his own home; subsequently he comes to dinner only rarely. The narrator is apparently unable to decide if A. has been unfaithful but is reassured by her return, and the novel ends on a more peaceful note, as the crisis of jealousy gradually passes.

Such, briefly, are the bare facts of the story, but it is clear that these alone do not constitute *La Jalousie*: Robbe-Grillet achieves a powerful study of jealousy by filtering these facts through the mind of the narrator, who imposes his own pattern on them. Robbe-Grillet conveys this by various technical devices, of which the most immediately striking is the substitution, for 'real' time, of the personal chronology of the narrator. There are apparent contradictions in the text with regard to certain events: for example, when describing the harvesting of bananas in a particular sector, the narrator notes on p. 14 and again on p. 19 that some stems have been cut; on p. 34 he states that all the stems have been cut, but some twenty pages later he says that *no* stems have been cut. Similarly, after the movements of workmen repairing a small bridge have been described, they are shown on p. 76 as about to *begin* their task. 'Real' time is reversed in even more dramatic fashion, for example when, on page 38, after a long scene which takes place after the return of A. and Franck, the narrator goes back to the preparations for their departure. The time-scheme is further complicated by the extended use of the present tense, and the use of such words and phrases as *maintenant, encore, puis, à ce moment*, which strengthen the feeling of immediacy which the different scenes all communicate.[1]

It would be wrong to seek to place the narrator at a definite point in time (some critics, for example, have suggested that the events described are entirely in his memory); it is rather that the husband lives in a continuous present, in which past events and present scenes intermingle in his mind. He proceeds from scene to scene by associations of objects, sounds, phrases, ideas. His passion, inflamed by his imagination, forces him to relive significant episodes, and on each occasion these episodes are seen from a slightly different point of view – hence the departure from strict chronology and the repetition, with variations, of certain scenes. For example, the episode of the missing ice, described initially in the second section of the novel, is repeated in the fifth with the addition of new details. The appearance of the letter in Franck's pocket is noted, and new questions concerning A.'s behaviour are raised, indicating that the husband is re-examining this past episode seeking, as his mind recalls fresh details, answers to questions which are tormenting him. During his solitary day in the house, the husband's mind wanders more freely as his passion reaches its climax, and changes of scene and the intermingling of past and present become more rapid; the element of fantasy is heightened, as the husband imagines a centipede of gigantic proportions, the crushing of the insect by Franck in a hotel bedroom while A. waits on the bed, A. and Franck trapped in flames following a road accident and so on.

The 'incoherence' with which Robbe-Grillet has often been reproached in *La Jalousie* is, then, only superficial, for the novel offers a surprising unity. It is, in Robbe-Grillet's words,

> . . . un roman qui met en scène un homme et s'attache de page en page à chacun de ses pas, ne décrivant que ce qu'il fait, ce qu'il voit ou ce qu'il imagine.

> (Nature, humanisme, tragédie)

[1] If an exhaustive list of shifts in time in the narrative were listed here it would be tedious for the reader; the most significant of them are indicated in the Notes which follow the text of *La Jalousie* in this edition.

The only reality is the reality within the mind of the narrator; his mental processes, his fears and fantasies give the novel its shape. As Robbe-Grillet wrote:

> Le narrateur de ce récit – un mari qui surveille sa femme – est au centre de l'intrigue. Il reste d'ailleurs en scène de la première phrase à la dernière, quelquefois légèrement à l'écart d'un côté ou de l'autre, mais toujours au premier plan. Souvent même il s'y trouve seul. Le lecteur cependant ne l'entend pas, ne le voit jamais; il sent seulement sa présence, qui oriente toute chose aux alentours, qui mesure les distances et les gestes, qui donne au monde sa forme, sa dureté, son poids.
>
> (Introduction to first edition)

The unity and force given to the novel by the narrator's ever-present gaze and hypersensitive imagination are nowhere more clearly seen than in the recurring theme of the crushing of the centipede and the stain left on the wall, and it is in the various ways in which this theme and its associated images are introduced at different moments in the narrative that Robbe-Grillet's technical skill is most forcefully demonstrated.

The first mention of the centipede (on p. 11) is a seemingly casual one, imprecise as to the date when it appeared, but as its significance grows in the narrator's mind, first the stain (p. 23) and then the scene of its crushing (p. 26) are described in some detail. In this latter scene a clear impression is given of Franck's strength and brutality and A.'s fascination and heightened response, and this is emphasized by the repetition of the scene (p. 41) when it is reintroduced into an account of a dinner shared by A. and her husband after her return. A. had just referred to the hotel bedroom where she had spent the night, and this is enough to conjure up the image of the centipede, and Franck's aggressiveness in the narrator's mind. The scene is repeated again (p. 48) as the husband recalls the occasion when Franck came to dinner, but this time another element uppermost in the husband's mind is introduced – the letter which A. has written to Franck. Here, the narrator follows the line of A.'s hand on the table-cloth to the knife in front of Franck and thence to his hand, which tries to hide the letter protruding from his pocket. Later, the sight of an oil stain left in the courtyard by Franck's car (associated with the memory of A.'s departure) is in its turn sufficient to remind the narrator of the centipede (the death of which is again described on p. 55) and the stain on the wall – the stain which the husband seeks to remove, using a rubber and a razor, but which only makes him think of A. this time in her bedroom, writing a letter.

As the novel progresses, the image of the centipede becomes dominant in the narrator's mind, and reaches its climax as the husband succumbs completely to his jealousy. On p. 70 begins the important scene where the centipede has reached gigantic proportions, where the noise of its jaws recalls the sound of A.'s comb passing through her hair, where Franck kills the insect in the hotel bedroom and is then seen with A. engulfed in the flames of the wrecked car.

It is in his treatment of this theme, and in his treatment of other recurring themes, that the art of Robbe-Grillet lies; he *creates* the jealousy of the husband instead of *analysing* it. He creates it by noting the objects and scenes which hold the husband's attention, and by recording the variations which he introduces as these objects and scenes play upon his mind. In this way, refraining from any comment or explanation, he succeeds in giving to his character complete autonomy (thus following the precepts he expressed in his theoretical writings); the jealous husband is indeed always to the forefront of the scene. Some readers may feel that it is a disadvantage that he has no name, no physical appearance, no past history, and that likewise there are no portraits of A. and Franck. These, however, would be incongruous in this novel: no one in his thoughts describes his own appearance or refers to himself by name, nor does he interrupt his thoughts to reflect on the character of friends or acquaintances. All considerations not directly connected with the immediate crisis are irrelevant to the narrator. Franck's past life, the character of Franck's wife, Franck's plantation are of no concern: Franck is merely the rival, the man threatening to steal his wife, and it is in these terms alone that the narrator considers him. The absence of marginal details is thus explained, not only by Robbe-Grillet's aversion to them, for reasons already mentioned, but also by the nature of this particular novel. In *La Jalousie* the reader enters the stream of consciousness of one individual and witnesses the turmoil of his thoughts and emotions in all their vivid spontaneity. It would therefore be inappropriate to search for the measured objectivity and completeness of the 'traditional' novel.

One can nevertheless find evidence on which to build a portrait of the husband. He is, clearly, unusually observant and meticulous. He is passive: he is not the one who rises to kill the centipede, and indeed he apparently undertakes no positive action save that of searching A.'s room, in itself deceitful. His insistence upon the physical movements of Franck may well betoken an inferiority complex and fear of Franck's aggressiveness. He shows signs of psychic disorder: obsessions, hallucinations, the transfer of fantasies into reality. Above all he gives an impression of weakness in relation to the other two characters. Robbe-Grillet, in his introduction, refers to A. as 'celle dont les yeux font se détourner le regard'; whenever A. looks towards him, the husband turns away and describes the scene before him, for example:

> Les boucles noires de ses cheveux se déplacent d'un mouvement souple, sur les épaules et le dos, lorsqu'elle tourne la tête. L'épaisse barre d'appui de la balustrade . . . (p. 3).

The descriptions which follow, some of which are lengthy, are not therefore idiosyncracies of the author, fascinated though he clearly is by the surface appearance of objects and the geometric patterns of scenes; they add further weight to the character of the husband, by showing that he cannot sustain his wife's gaze.

Other similar passages which are not introduced in this manner have a different function: they illustrate the way in which objects, while imposing themselves forcibly upon the narrator, offer him no comfort, no solutions. They turn him back upon himself; in the midst of these seemingly neutral descriptions, where attention is focused on minute details, they also emphasize his weakness, for they resist his gaze, and yield nothing of themselves. The narrator, surveying his plantation, or roaming through the house, describing its contents, is pushed further into his own world of fantasy, because the objects which surround him have no meaning. There are, of course, objects to which the narrator does give a meaning (for example, the centipede, or the sheet of blue paper), but it is one which the objects themselves do not possess. They are 'psychiatric objects', the use of which has been noted in *Les Gommes* and *Le Voyeur*. These objects have become 'contaminated', and in descriptions of them Robbe-Grillet communicates the effect of deepseated emotion on the behaviour of the husband.

The geometric descriptions which are recurrent throughout *La Jalousie* provide, then, a backcloth for the main drama; their neutrality offers moments of respite, and emphasizes the disorder of the husband when he turns to other objects and scenes which affect him more immediately, for when he transfers his attention away from the plantation, the narrative is full not of lines and planes, but colours and textures, and is charged with sensuous overtones. In the husband's mind, geometry disappears when moral involvement begins.

Another striking technical device used in the novel is the suppression of the actual words used by the husband in conversation. This is not to say that the husband never speaks; his words are conveyed indirectly by the use of such phrases as *il suffit de lui demander* . . . or *à une question peu précise elle répond* . . .Within the framework of the novel this procedure is a realistic one: the individual, remembering past scenes, will never record his actual words, but will concentrate upon any response which they might occasion. The husband is examining the behaviour of A. and Franck, not his own, and so his own words, like his own actions, have no bearing on the problem. His reticence extends to the absence of overt comment on what he sees; this again is realistic, for the husband is not in a rational state of mind and is emotionally too disturbed to pause for reflection. Moreover, if such comments were included, they would seriously interrupt the rhythm of the novel, and mar the total effect of immediacy.

La Jalousie, then, illustrates a defect in the husband's personality which leads him to distort reality. His jealousy, for which he may or may not have grounds (the reader has no way of knowing), forces him to project meaning onto neutral objects, and these objects subsequently influence his thoughts and behaviour. They become the mirror of his fear and anxiety, and the husband is led into a vicious circle of ever-increasing tension. The title of the novel gives a clue to the nature and consequence of this defect, as Robbe-Grillet explained in his introduction:

> La jalousie est une sorte de contrevent qui permet de regarder au dehors et, pour certaines inclinaisons, du dehors vers l'intérieur; mais, lorsque les lames sont closes, on ne voit plus rien, dans aucun sens. La jalousie est une passion pour qui rien jamais ne s'efface: chaque vision, même la plus innocente, y demeure inscrite une fois pour toutes.

The art of Robbe-Grillet lies in his ability to convey this destructive passion without recourse to the traditional method of presenting character. Indeed the absence of psychological analysis involves the reader more closely in the mood of doubt and suspicion which is maintained throughout the novel. The role of the reader is exacting, for he must gradually piece the puzzle together, but, as he does so, he discovers a psychological novel of great power.

AFTER LA JALOUSIE

Since *La Jalousie*, Robbe-Grillet has published two novels, *Dans le Labyrinthe* (1959) and *La Maison de Rendez-vous* (1965), one collection of short stories, *Instantanés* (1962), and the scenarios of two films, *L'Année dernière à Marienbad* (produced with Alain Resnais in 1961) and *L'Immortelle* (1963). His third film, *Trans-Europ Express,* was produced in 1966 and his fourth, *L'homme qui ment*, in 1968. The evolution of Robbe-Grillet's art towards the cinema would seem logical, since tne content of his novels is largely visual, and all the works which follow *La Jalousie* (with the exception of *Instantanés* which, as the title suggests, are little more than 'snapshots') continue to capture the mental processes of individuals by exteriorizing them onto objects. Robbe-Grillet found the cinema the ideal medium for this; in an introduction to *L'Année dernière à Marienbad* he wrote:

La caractéristique essentielle de l'image est sa présence. Alors que la littérature dispose de toute une gamme de temps grammaticaux, qui permet de situer les événements les uns par rapport aux autres, on peut dire que, sur l'image, les verbes sont toujours au présent (ce qui rend si étranges, si faux, ces «films racontés» des publications specialisées, où l'on a rétabli le passé simple cher au roman classique!): de toute évidence, ce que l'on voit sur l'écran *est en train de se passer*, c'est le geste même qu'on nous donne, et non pas un rapport sur lui.

The image on the screen has an immediacy even though the scenes presented may be in the past, in the future, or merely imaginary, and this 'eternal present' corresponds to the visions which each individual always holds within him:

Que sont, en somme, toutes ces images? Ce sont des *imaginations*; une imagination, si elle est assez vive, est toujours au présent. Les souvenirs que l'on «revoit», les régions lointaines, les rencontres à venir, ou même les épisodes passés que chacun arrange dans sa tête en en modifiant le cours tout à loisir, il y a là comme un film intérieur qui se déroule continuellement en nous-mêmes, dès que nous cessons de prêter attention à ce qui se passe autour de nous. Mais à d'autres moments, nous enregistrons au contraire, par tous nos sens, ce monde extérieur qui se trouve bel et bien sous nos yeux. Ainsi le film total de notre esprit admet à la fois tour à tour et au même tite les fragments réels proposés à l'instant par la vue et l'ouïe, et des fragments passés, ou lointains, ou futurs, ou totalement fantasmagoriques.

These comments throw further light on *La Jalousie*, for the novel is the portrayal of the 'film intérieur' of the husband during a period of extreme tension, and it is in these terms that Robbe-Grillet's conception of the novel and the cinema meet. Indeed, his films translate into cinematographic form the techniques which are so characteristic of his novels, and he has achieved this continuity because his novels rely for their effect upon the force of their visual images rather than upon the force of their words. If a 'traditional' novel is brought to the screen, there is a natural conflict between the two media, because the language of the novel cannot be translated onto film; all a director can do is to convey characters and events detached from the novel's style. In his novels Robbe-Grillet is close to the cinema in emphasizing images rather than ideas, and thus he is able to write 'subjective' novels and produce 'subjective' films (he describes *L'Année dernière à Marienbad*, for example, as 'une réalité que le héros crée par sa propre vision, par sa propre parole'), exploiting in both genres the visual qualities of human perception.

Whatever the merits of Robbe-Grillet's films may be, they do throw an interesting light on his novels, for, bearing his conception of the cinema in mind, one can justify the view that *La Jalousie* is a 'cinematic' novel, and if it were filmed, the descriptions of objects and the mood of the husband could be conveyed pictorially. This is, perhaps, its distinctive quality.

BIOGRAPHICAL NOTE

Alain Robbe-Grillet was born in Brest on 18 August 1922. After attending *lycées* in Brest and Paris, he studied at the Institut national agronomique and obtained his diploma as *ingénieur agronome* (agricultural economist). He worked for the Institut national de la statistique in Paris from 1945 until 1949, when he joined the Institut des fruits et agrumes[1] coloniaux, on whose behalf he undertook journeys to Morocco, Guinea, Martinique, and Guadeloupe. He resigned his position in 1955 and took up the post of literary editor with the publishing house, Les Editions de Minuit. Since 1955 he has devoted all his attention to literature. He has been awarded two distinctions: the Prix des critiques in 1955, and the Prix Louis Delluc in 1963.

[1]Citrus fruit.

Some of the Books and Periodicals Consulted

General

BROMBERT, Victor. *The Intellectual Hero: Studies in the French Novel* 1880–1955. Philadelphia and New York. Lippincott, 1960

CRUIKSHANK, John (ed.). *The Novelist as Philosopher: Studies in French Fiction*, 1935–1960. London. Oxford University Press, 1962

MATTHEWS, J. H. (ed.). *Un nouveau roman?* Paris. Minard, 1964

NADEAU, Maurice. *Le Roman français depuis la guerre*. Collection 'Idées'. Paris. Editions Gallimard, 1963

Books on Robbe-Grillet

ALTER, Jean. *La Vision du monde d'Alain Robbe-Grillet*. Geneva. Droz. 1966

BERNAL, Olga. *Alain Robbe-Grillet: le roman de l'absence*. Paris. Editions Gallimard, 1964

MORRISSETTE, Bruce. *Les Romans de Robbe-Grillet*. Paris. Les Editions de Minuit, 1963

STOLTZFUS, Ben F. *Alain Robbe-Grillet and the New French Novel*. Carbondale. Southern Illinois University Press, 1964

Articles on Robbe-Grillet

BREE, Germaine. *La Jalousie:* New blinds for old?, *Yale French Studies*, No. 24. Summer 1959, pp. 87–90

MORRISSETTE, Bruce. En relisant Robbe-Grillet, *Critique*, XV, juillet 1959, pp. 579–608

GUERS, Yvonne. La Technique romanesque chez Alain Robbe-Grillet, *French Review*, XXXV, 1962, pp. 570–7

LA JALOUSIE

Maintenant l'ombre du pilier – le pilier qui soutient l'angle sud-ouest du toit – divise en deux parties égales l'angle correspondant de la terrasse. Cette terrasse est une large galerie couverte, entourant la maison sur trois de ses côtés. Comme sa largeur est la même dans la portion médiane et dans les branches latérales, le trait d'ombre projeté par le pilier arrive exactement au coin de la maison; mais il s'arrête là, car seules les dalles de la terrasse sont atteintes par le soleil, qui se trouve encore trop haut dans le ciel. Les murs, en bois, de la maison – c'est-à-dire la façade et le pignon ouest – sont encore protégés de ses rayons par le toit (toit commun à la maison proprement dite et à la terrasse). Ainsi, à cet instant, l'ombre de l'extrême bord du toit coïncide exactement avec la ligne, en angle droit, que forment entre elles la terrasse et les deux faces verticales du coin de la maison.

Maintenant, A... est entrée dans la chambre, par la porte intérieure qui donne sur le couloir central. Elle ne regarde pas vers la fenêtre, grande ouverte, par où – depuis la porte – elle apercevrait ce coin de terrasse. Elle s'est maintenant retournée vers la porte pour la refermer. Elle est toujours habillée de la robe claire, à col droit, très collante, qu'elle portait au déjeuner. Christiane, une fois de plus, lui a rappelé que des vêtements moins ajustés permettent de mieux supporter la chaleur. Mais A... s'est contentée de sourire: elle ne souffrait pas de la chaleur, elle avait connu des climats beaucoup plus chauds – en Afrique par exemple – et s'y était toujours très bien portée. Elle ne craint pas le froid non plus, d'ailleurs. Elle conserve partout la même aisance. Les boucles noires de ses cheveux se déplacent d'un mouvement souple, sur les épaules et le dos, lorsqu'elle tourne la tête.

L'épaisse barre d'appui de la balustrade n'a presque plus de peinture sur le dessus. Le gris du bois y apparaît, strié de petites fentes longitudinales. De l'autre côté de cette barre, deux bons mètres au-dessous du niveau de la terrasse, commence le jardin.

Mais le regard qui, venant du fond de la chambre, passe par-dessus la balustrade, ne touche terre que beaucoup plus loin, sur le flanc opposé de la petite vallée, parmi les bananiers de la plantation. On n'aperçoit pas le sol entre leurs panaches touffus de larges feuilles vertes. Cependant, comme la mise en culture de ce secteur est assez récente,* on y suit distinctement encore l'entrecroisement régulier des lignes de plants. Il en va de même dans presque toute la partie visible de la concession, car les parcelles les plus anciennes – où le désordre a maintenant pris le dessus – sont situées plus en amont, sur ce versant-ci de la vallée, c'est-à-dire de l'autre côté de la maison.

C'est de l'autre côté, également, que passe la route, à peine un peu plus bas que le bord du plateau. Cette route, la seule qui donne accès à la concession, marque la limite nord de celle-ci. Depuis la route un chemin carrossable* mène aux hangars et, plus bas encore, à la maison, devant laquelle un vaste espace dégagé, de très faible pente, permet la manœuvre des voitures.

La maison est construite de plain-pied avec cette esplanade, dont elle n'est séparée par aucune véranda ou galerie. Sur ses trois autres côtés, au contraire, l'encadre la terrasse.

La pente du terrain, plus accentuée à partir de l'esplanade, fait que la portion médiane de la terrasse (qui borde la façade au midi) domine d'au moins deux mètres le jardin.*

Tout autour du jardin, jusqu'aux limites de la plantation, s'étend la masse verte des bananiers.

A droite comme à gauche leur proximité trop grande, jointe au manque d'élévation relatif de l'observateur posté sur la terrasse, empêche d'en bien distinguer l'ordonnance; tandis que, vers le fond de la vallée, la disposition en quinconce s'impose au premier regard. Dans certaines parcelles de replantation très récente – celles où la terre rougeâtre commence tout juste à céder la place au feuillage – il est même aisé de suivre la fuite régulière des quatre directions entrecroisées, suivant lesquelles s'alignent les jeunes troncs.

Cet exercice n'est pas beaucoup plus difficile, malgré la pousse plus avancée, pour les parcelles qui occupent le versant d'en face: c'est en effet l'endroit qui s'offre le plus commodément à l'œil, celui dont la surveillance pose le moins de problèmes (bien que le chemin soit déjà long pour y parvenir), celui que l'on regarde naturellement, sans y penser, par l'une ou l'autre des deux fenêtres, ouvertes, de la chambre.

Adossée à la porte intérieure qu'elle vient de refermer, A..., sans y penser, regarde le bois dépeint de la balustrade, plus près d'elle l'appui dépeint de la fenêtre, puis, plus près encore, le bois lavé du plancher.

Elle fait quelques pas dans la chambre et s'approche de la grosse commode, dont elle ouvre le tiroir supérieur. Elle remue les papiers, dans la partie droite du tiroir, se penche et, afin d'en mieux voir le fond, tire un peu plus le casier vers elle. Après de novelles recherches elle se redresse et demeure immobile, les coudes au corps, les deux avant-bras repliés et cachés par le buste – tenant sans aucun doute une feuille de papier entre les mains.

Elle se tourne maintenant vers la lumière, pour continuer sa lecture sans se fatiguer les yeux. Son profil incliné ne bouge plus. La feuille est de couleur bleue très pâle, du format ordinaire des papiers à lettres, et porte la trace bien marquée d'un pliage en quatre.

Ensuite, gardant la lettre en main, A... repousse le tiroir, s'avance vers la petite table de travail (placée près de la seconde fenêtre, contre la cloison qui sépare la chambre du couloir) et s'assied aussitôt, devant le sous-main d'où elle extrait en même temps une feuille de papier bleu pâle – identique à la première, mais vierge. Elle ôte le capuchon de son stylo, puis, après un bref regard du côté droit (regard qui n'a même pas atteint le milieu de l'embrasure, situé plus en arrière), elle penche la tête vers le sous-main pour se mettre à écrire.

Les boucles noires et brillantes s'immobilisent, dans l'axe du dos, que matérialise un peu plus bas l'étroite fermeture métallique de la robe.

Maintenant l'ombre du pilier – le pilier qui soutient l'angle sud-ouest du toit – s'allonge, sur les dalles, en travers de cette partie centrale de la terrasse, devant la façade, où l'on a disposé les fauteuils pour la soirée. Déjà l'extrémité du trait d'ombre atteint presque la porte d'entrée, qui en marque le milieu. Contre le pignon ouest de la maison, le soleil éclaire le bois sur un mètre cinquante de hauteur, environ. Par la troisième fenêtre, qui donne de ce côté, il pénétrerait donc largement dans la chambre, si le système de jalousies n'avait pas été baissé.

A l'autre bout de cette branche ouest de la terrasse, s'ouvre l'office. On entend, venant par sa porte entrebâillée, la voix de A . . . , puis celle du cuisinier noir, volubile et chantante, puis de nouveau la voix nette, mesurée, qui donne des ordres pour le repas du soir.

Le soleil a disparu derrière l'éperon rocheux qui termine la plus importante avancée du plateau.

Assise, face à la vallée, dans un des fauteuils de fabrication locale, A . . . lit le roman emprunté la veille, dont ils ont déjà parlé à midi. Elle poursuit sa lecture, sans détourner les yeux, jusqu'à ce que le jour soit devenu insuffisant. Alors elle relève le visage, ferme le livre – qu'elle pose à portée de sa main sur la table basse – et reste le regard fixé droit devant elle, vers la balustrade à jours et les bananiers de l'autre versant, bientôt invisibles dans l'obscurité. Elle semble écouter le bruit, qui monte de toutes parts, des milliers de criquets peuplant le bas-fond. Mais c'est un bruit continu, sans variations, étourdissant, où il n'y a rien à entendre.

Pour le dîner, Franck est encore là, souriant, loquace, affable. Christiane, cette fois, ne l'a pas accompagné; elle est restée chez eux avec l'enfant, qui avait un peu de fièvre. Il n'est pas rare, à présent, que son mari vienne ainsi sans elle: à cause de l'enfant, à cause aussi des propres troubles de Christiane, dont la santé s'accommode mal de ce climat humide et chaud, à cause enfin des ennuis domestiques qu'elle doit à ses serviteurs trop nombreux et mal dirigés.

Ce soir, pourtant, A . . . paraissait l'attendre. Du moins avait-elle fait mettre quatre couverts. Elle donne l'ordre d'enlever tout de suite celui qui ne doit pas servir.

Sur la terrasse, Franck se laisse tomber dans un des fauteuils bas et prononce son exclamation – désormais coutumière – au sujet de leur confort. Ce sont des fauteuils très simples, en bois et sangles de cuir, exécutés sur les indications de A . . . par un artisan indigène. Elle se penche vers Franck pour lui tendre son verre.

Bien qu'il fasse tout à fait nuit maintenant, elle a demandé de ne pas apporter les lampes, qui – dit-elle – attirent les moustiques. Les verres sont emplis, presque jusqu'au bord, d'un mélange de cognac et d'eau gazeuse où flotte un petit cube de glace. Pour ne pas risquer d'en renverser le contenu par un faux mouvement, dans l'obscurité complète, elle s'est approchée le plus possible du fauteuil où est assis Franck, tenant avec précaution dans la main droite le verre qu'elle lui destine. Elle s'appuie de l'autre main au bras du fauteuil et se penche vers lui, si près que leurs têtes sont l'une contre l'autre. Il murmure quelques mots: un remerciement, sans doute.

Elle se redresse d'un mouvement souple, s'empare du troisième verre – qu'elle ne craint pas de renverser, car il est beaucoup moins plein – et va s'asseoir à côté de Franck, tandis que celui-ci continue l'histoire de camion en panne commencée dès son arrivée.

C'est elle-même qui a disposé les fauteuils, ce soir, quand elle les a fait apporter sur la terrasse. Celui qu'elle a désigné à Franck et le sien se trouvent côte à côte, contre le mur de la maison – le dos vers ce mur, évidemment – sous la fenêtre du bureau. Elle a ainsi le fauteuil de Franck à sa gauche, et sur sa droite – mais plus en avant – la petite table où sont les bouteilles. Les deux autres fauteuils sont placés de l'autre côté de cette table, davantage encore vers la droite, de manière à ne pas intercepter la vue entre les deux premiers et la balustrade de la terrasse. Pour la même raison de «vue», ces deux derniers fauteuils ne sont pas tournés vers le reste du groupe: ils ont été mis de biais, orientés obliquement vers la balustrade à jours et l'amont de la vallée. Cette disposition oblige les personnes qui s'y trouvent assises à de fortes rotations de tête vers la gauche, si elles veulent apercevoir A . . . – surtout en ce qui concerne le quatrième fauteuil, le plus éloigné.

Le troisième, qui est un siège pliant fait de toile tendue sur des tiges métalliques, occupe – lui – une position nettement en retrait, entre le quatrième et la table. Mais c'est celui-là, moins confortable, qui est demeuré vide.

La voix de Franck continue de raconter les soucis de la journée sur sa propre plantation. A... semble y porter de l'intérêt. Elle l'encourage de temps à autre par quelques mots prouvant son attention. Dans un silence se fait entendre le bruit d'un verre que l'on repose sur la petite table.

De l'autre côté de la balustrade, vers l'amont de la vallée, il y a seulement le bruit des criquets et le noir sans étoiles de la nuit.

Dans la salle à manger brillent deux lampes à gaz d'essence. L'une est posée sur le bord du long buffet, vers son extrémité gauche; l'autre sur la table elle-même, à la place vacante du quatrième convive.

La table est carrée, puisque le système de rallonges (inutile pour si peu de personnes) n'a pas été mis. Les trois couverts occupent trois des côtés, la lampe le quatrième. A... est à sa place habituelle; Franck est assis à sa droite – donc devant le buffet.

Sur le buffet, à gauche de la seconde lampe (c'est-à-dire du côté de la porte, ouverte, de l'office), sont empilées les assiettes propres qui serviront au cours du repas. A droite de la lampe et en arrière de celle-ci – contre le mur – une cruche indigène en terre cuite marque le milieu du meuble. Plus à droite se dessine, sur la peinture grise du mur, l'ombre agrandie et floue d'une tête d'homme – celle de Franck. Il n'a ni veste ni cravate, et le col de sa chemise est largement déboutonné; mais c'est une chemise blanche irréprochable, en tissu fin de belle qualité, dont les poignets à revers sont maintenus par des boutons amovibles en ivoire.

A... porte la même robe qu'au déjeuner. Franck s'est presque disputé avec sa femme, à son sujet, lorsque Christiane en a critiqué la forme «trop chaude pour ce pays». A... s'est contentée de sourire: «D'ailleurs, je ne trouve pas que le climat d'ici soit tellement insupportable, a-t-elle dit pour en finir avec ce sujet. Si vous aviez connu la chaleur qu'il faisait, dix mois sur douze, à Kanda! ...» La conversation s'est alors fixée, pour un certain temps, sur l'Afrique.

Le boy fait son entrée par la porte ouverte de l'office, tenant à deux mains la soupière pleine de potage. Aussitôt qu'il l'a déposée, A... lui demande de déplacer la lampe qui est sur la table, dont la lumière trop crue – dit-elle – fait mal aux yeux. Le boy soulève l'anse de la lampe et va porter celle-ci à l'autre bout de la pièce,

8

sur le meuble que A . . . lui indique de sa main gauche étendue.

La table se trouve ainsi plongée dans la pénombre. Sa principale source de lumière est devenue la lampe posée sur le buffet, car la seconde lampe – dans la direction opposée – est maintenant beaucoup plus lointaine.

Sur le mur, du côté de l'office, la tête de Franck a disparu. Sa chemise blanche ne brille plus, comme elle le faisait tout à l'heure, sous l'éclairage direct. Seule sa manche droite est frappée par les rayons, de trois quarts arrière.* l'épaule et le bras sont bordés d'une ligne claire, et de même, plus haut, l'oreille et le cou. Le visage est placé presque à contre-jour.

«Vous ne trouvez pas que c'est mieux?» demande A . . . , en se tournant vers lui.

«Plus intime, bien sur», répond Franck.

Il absorbe son potage avec rapidité. Bien qu'il ne se livre à aucun geste excessif, bien qu'il tienne sa cuillère de façon convenable et avale le liquide sans faire de bruit, il semble mettre en œuvre, pour cette modeste besogne, une énergie et un entrain démesurés. Il serait difficile de préciser où, exactement, il néglige quelque règle essentielle, sur quel point particulier il manque de discrétion.

Evitant tout défaut notable, son comportement, néanmoins, ne passe pas inaperçu.* Et, par opposition, il oblige à constater que A . . . , au contraire, vient d'achever la même opération san avoir l'air de bouger – mais sans attirer l'attention, non plus, par une immobilité anormale. Il faut un regard à son assiette vide, mais salie, pour se convaincre qu'elle n'a pas omis de se servir.

La mémoire parvient, d'ailleurs, à reconstituer quelques mouvements de sa main droite et de ses lèvres, quelques allées et venues de la cuillère entre l'assiette et la bouche, qui peuvent être considérés comme significatifs.

Pour plus de sûreté encore, il suffit de lui demander* si elle ne trouve pas que le cuisinier sale trop la soupe.

«Mais non, répond-elle, il faut manger du sel pour ne pas transpirer.»

Ce qui, à la réflexion, ne prouve pas d'une manière absolue qu'elle ait goûté, aujourd'hui, au potage.

Maintenant le boy enlève les assiettes. Il devient ainsi impossible de contrôler à nouveau les traces maculant celle de A . . . – ou leur absence, si elle ne s'était pas servie.

La conversation est revenue à l'histoire de camion en panne: Franck n'achètera plus, à l'avenir, de vieux matériel militaire; ses dernières acquisitions lui ont causé trop d'ennuis; quand il remplacera un de ses véhicules, ce sera par du neuf.

Mais il a bien tort de vouloir confier des camions modernes aux chauffeurs noirs, qui les démoliront tout aussi vite, sinon plus.

«Quand même, dit Franck, si le moteur est neuf, le conducteur n'aura pas à y toucher.»

Il devrait pourtant savoir que c'est tout le contraire: le moteur neuf sera un jouet d'autant plus attirant, et l'excès de vitesse sur les mauvaises routes, et les acrobaties au volant . . .

Fort de* ses trois ans d'expérience, Franck pense qu'il existe des conducteurs sérieux, même parmi les noirs. A . . . est aussi de cet avis, bien entendu.

Elle s'est abstenue de parler pendant la discussion sur la résistance comparée des machines, mais la question des chauffeurs motive de sa part une intervention assez longue, et catégorique.

Il se peut d'ailleurs qu'elle ait raison. Dans ce cas, Franck devrait avoir raison aussi.

Tous les deux parlent maintenant du roman que A . . . est en train de lire, dont l'action se déroule en Afrique. L'héroïne ne supporte pas le climat tropical (comme Christiane). La chaleur semble même produire chez elle de véritables crises:

«C'est mental, surtout, ces choses-là», dit Franck.

Il fait ensuite une allusion, peu claire pour celui qui n'a même pas feuilleté le livre, à la conduite du mari. Sa phrase se termine par «savoir la prendre» ou «savoir l'apprendre», sans qu'il soit possible de déterminer avec certitude de qui il s'agit, ou de quoi. Franck regarde A . . . , qui regarde Franck. Elle lui adresse un sourire rapide, vite absorbé par la pénombre. Elle a compris, puisqu'elle connaît l'histoire.

Non, ses traits n'ont pas bougé. Leur immobilité n'est pas si récente: les lèvres sont restées figées depuis ses dernières paroles. Le sourire fugitif ne devait être qu'un reflet de la lampe, ou l'ombre d'un papillon.

Du reste, elle n'était déjà plus tournée vers Franck, à ce moment-là. Elle venait de ramener la tête dans l'axe de la table et regardait droit devant soi, en direction du mur nu, où une tache noirâtre marque l'emplacement du mille-pattes écrasé la semaine dernière, au début du mois, le mois précédent peut-être, ou plus tard.

Le visage de Franck, presque à contre-jour,* ne livre pas la moindre expression.

Le boy fait son entrée pour ôter les assiettes. A . . . lui demande, comme d'habitude, de servir le café sur la terrasse.

Là, l'obscurité est totale. Personne ne parle plus. Le bruit des criquets a cessé. On n'entend, çà et là, que le cri menu de quelque carnassier nocturne, le vrombissement subit d'un scarabée, le choc d'une petite tasse en porcelaine que l'on repose sur la table basse.

Franck et A . . . se sont assis dans leurs deux mêmes fauteuils, adossés au mur de bois de la maison. C'est encore le siège à ossature métallique qui est resté inoccupé. La position du quatrième est encore moins justifiée, à présent, la vue sur la vallée n'existant plus. (Même avant le dîner, durant le bref crépuscule, les jours trop étroits* de la balustrade ne permettaient pas d'apercevoir vraiment le paysage ; et le regard, par-dessus la barre d'appui, n'atteignait que le ciel.)

Le bois de la balustrade est lisse au toucher, lorsque les doigts suivent le sens des veines et des petites fentes longitudinales. Une zone écailleuse vient ensuite ; puis c'est de nouveau une surface unie, mais sans lignes d'orientation cette fois, et pointillée de place en place par des aspérités légères de la peinture.

En plein jour, l'opposition des deux couleurs grises – celle du bois nu et celle, un peu plus claire, de la peinture qui subsiste – dessine des figures compliquées aux contours anguleux, presque en dents de scie.* Sur le dessus de la barre d'appui, il n'y a plus que des îlots épars, en saillie, formés par les derniers restes de peinture. Sur les balustres, au contraire, ce sont les régions dépeintes, beaucoup plus réduites et généralement situées vers le milieu de la hauteur, qui constituent les taches, en creux, où les doigts reconnaissent le fendillement vertical du bois. A la limite des plaques, de nouvelles écailles de peinture se laissent aisément enlever ; il suffit de glisser l'ongle sous le bord qui se décolle et de forcer, en pliant la phalange; la résistance est à peine sensible.

De l'autre côté, l'œil, qui s'accoutume au noir, distingue maintenant une forme plus claire se détachant contre le mur de la maison: la chemise blanche de Franck. Ses deux avant-bras reposent à plat sur les accoudoirs. Son buste est incliné en arrière, contre le dossier du fauteuil.

A... fredonne un air de danse, dont les paroles demeurent inintelligibles. Mais Franck les comprend peut-être, s'il les connaît déjà, pour les avoir entendues souvent, peut-être avec elle. C'est peut-être un de ses disques favoris.

Les bras de A..., un peu moins nets que ceux de son voisin à cause de la teinte – pourtant pâle – du tissu, reposent également sur les accoudoirs. Les quatre mains sont alignées, immobiles. L'espace entre la main gauche de A... et la main droite de Franck est de dix centimètres, environ. Le cri menu d'un carnassier nocturne, aigu et bref, retentit de nouveau, vers le fond de la vallée, à une distance imprécisable.

«Je crois que je vais rentrer, dit Franck.

– Mais non, répond A... aussitôt, il n'est pas tard du tout. C'est tellement agréable de rester comme ça.»

Si Franck avait envie de partir, il aurait une bonne raison à donner: sa femme et son enfant qui sont seuls à la maison. Mais il parle seulement de l'heure matinale à laquelle il doit se lever le lendemain, sans faire aucune allusion à Christiane. Le même cri aigu et bref, qui s'est rapproché, paraît maintenant venir du jardin, tout près du pied de la terrasse, du côté est.

Comme en écho, un cri identique lui succède, arrivant de la direction opposée. D'autres leur répondent, plus haut vers la route; puis d'autres encore, dans le bas-fond.

Parfois la note est un peu plus grave, ou plus prolongée. Il y a probablement différentes sortes de bêtes. Cependant tous ces cris se ressemblent; non qu'ils aient un caractère commun facile à préciser, il s'agirait plutôt d'un commun manque de caractère: ils n'ont pas l'air d'être des cris effarouchés, ou de douleur, ou menaçants, ou bien d'amour. Ce sont comme des cris machinaux, poussés sans raison décelable, n'exprimant rien, ne signalant que l'existence, la position et les déplacements respectifs de chaque animal, dont ils jalonnent le trajet dans la nuit.

«Quand même, dit Franck, je crois que je vais partir.»

A . . . ne répond rien. Ils n'ont bougé ni l'un ni l'autre. Ils sont assis côte à côte, le buste incliné en arrière contre le dossier du fauteuil, les bras allongés sur les accoudoirs, leurs quatre mains dans une position semblable, à la même hauteur, alignées parallèlement au mur de la maison.

Maintenant l'ombre du pilier sud-ouest – à l'angle de la terrasse, du côté de la chambre – se projette sur la terre du jardin. Le soleil encore bas dans le ciel, vers l'est prend la vallée presque en enfilade.★ Les lignes de bananiers, obliques par rapport à l'axe de celle-ci, sont partout bien distinctes, sous cet éclairage.

Depuis le fond jusqu'à la limite supérieure des pièces les plus hautes, sur le flanc opposé à celui où se trouve bâtie la maison, le comptage des plants est assez facile; en face de la maison surtout, grâce au jeune âge des parcelles situées à cet endroit.

La dépression a été défrichée, ici, sur la plus grande partie de sa largeur: il ne reste plus, à l'heure actuelle, qu'un liséré de brousse d'une trentaine de mètres, au bord du plateau, lequel se raccorde au flanc de la vallée par un arrondi, sans crête ni cassure rocheuse.

Le trait de séparation entre la zone inculte et la bananeraie n'est pas tout à fait droit. C'est une ligne brisée, à angles alternativement rentrants et saillants, dont chaque sommet appartient à une parcelle différente, d'âge différent, mais d'orientation le plus souvent identique.

Juste en face de la maison,★ un bouquet d'arbres marque le point le plus élevé atteint par la culture dans ce secteur. La pièce qui se termine là est un rectangle. Le sol n'y est plus visible, ou peu s'en faut,★ entre les panaches de feuilles. Cependant l'alignement impeccable des pieds montre que leur plantation est récente et qu'aucun régime n'a encore été récolté.

A partir de la touffe d'arbres, le côté amont de cette pièce descend en faisant un faible écart (vers la gauche) par rapport à la plus grande pente. Il y a trente-deux bananiers sur la rangée, jusqu'à la limite inférieure de la parcelle.

Prolongeant celle-ci vers le bas, avec la même disposition des lignes, une autre pièce occupe tout l'espace compris entre la première et la petite rivière qui coule dans le fond. Elle ne comprend que vingt-trois plants dans sa hauteur. C'est la végétation plus avancée, seulement, qui la distingue de la précédente : la taille un peu plus haute des troncs, l'enchevêtrement des feuillages et les nombreux régimes bien formés. D'ailleurs quelques régimes y ont été coupés, déjà. Mais la place vide du pied abattu est alors aussi aisément discernable que le serait le plant lui-même, avec son panache de larges feuilles, vert clair, d'où sort l'épaisse tige courbée portant les fruits.

En outre, au lieu d'être rectangulaire comme celle d'au-dessus, cette parcelle a la forme d'un trapèze ; car la rive qui en constitue le bord inférieur n'est pas perpendiculaire à ses deux côtés – aval et amont – parallèles entre eux. Le côté droit (c'est-à-dire aval) n'a plus que treize bananiers, au lieu de vingt-trois.

Le bord inférieur, enfin, n'est pas rectiligne, la petite rivière ne l'étant pas : un ventre peu accentué rétrécit la pièce vers le milieu de sa largeur. La rangée médiane, qui devrait avoir dix-huit plants s'il s'agissait d'un trapèze véritable, n'en comporte ainsi que seize.

Sur le second rang, en partant de l'extrême gauche, il y aurait vingt-deux plants (à cause de la disposition en quinconce) dans le cas d'une pièce rectangulaire. Il y en aurait aussi vingt-deux pour une pièce exactement trapézoïdale, le raccourcissement restant à peine sensible à une si faible distance de la base. Et, en fait, c'est vingt-deux plants qu'il y a.

Mais la troisième rangée n'a, elle encore, que vingt-deux plants, au lieu des vingt-trois que comporterait de nouveau le rectangle. Aucune différence supplémentaire n'est introduite, à ce niveau, par l'incurvation du bord. Il en va de même pour la quatrième, qui comprend vingt-et-un pieds, soit un de moins qu'une ligne d'ordre pair du rectangle fictif.

La courbure de la rive entre à son tour en jeu* à partir de la cinquième rangée : celle-ci en effet ne possède également que vingt-et-un individus, alors qu'elle en aurait vingt-deux pour un vrai trapèze, et vingt-trois pour un rectangle (ligne d'ordre impair).

Ces chiffres eux-mêmes sont théoriques, puisque certains bananiers ont déjà été coupés au ras du sol, à la maturité du régime.
C'est en réalité dix-neuf panaches de feuilles et deux espaces vides
qui constituent le quatrième rang; et, pour le cinquième, vingt
panaches et un espace – soit, de bas en haut: huit panaches de
feuilles, un espace vide, douze panaches de feuilles.

Sans s'occuper de l'ordre dans lequel se trouvent les bananiers
réellement visibles et les bananiers coupés, la sixième ligne donne
les nombres suivants: vingt-deux, vingt-et-un, vingt, dix-neuf –
qui représentent respectivement le rectangle, le vrai trapèze, le
trapèze à bord incurvé, le même enfin après déduction des pieds
abattus pour la récolte.

On a pour les rangées suivantes: vingt-trois, vingt-et-un, vingt-
et-un, vingt-et-un. Vingt-deux, vingt-et-un, vingt, vingt. Vingt-
trois, vingt-et-un, vingt, dix-neuf, etc. . . .

Sur le pont de rondins, qui franchit la rivière à la limite aval de
cette pièce, il y a un homme accroupi. C'est un indigène, vêtu d'un
pantalon bleu et d'un tricot de corps, sans couleur, qui laisse nues
les épaules. Il est penché vers la surface liquide, comme s'il cherchait
à voir quelque chose dans le fond, ce qui n'est guère possible, la
transparence n'étant jamais suffisante malgré la hauteur d'eau très
réduite.

Sur ce versant-ci de la vallée, une seule parcelle s'étend depuis la
rivière jusqu'au jardin. En dépit de l'angle assez faible sous lequel
apparaît la pente, les bananiers y sont encore faciles à compter, du
haut de la terrasse. Ils sont en effet très jeunes dans cette zone,
récemment replantée à neuf. Non seulement la régularité y est parfaite, mais les troncs n'ont pas plus de cinquante centimètres de
haut, et les bouquets de feuilles qui les terminent demeurent bien
isolés les uns des autres. Enfin l'inclinaison des lignes par rapport
à l'axe de la vallée (quarante-cinq degrés environ) favorise aussi le
dénombrement.

Une rangée oblique prend naissance au pont de rondins, à droite,
pour atteindre le coin gauche du jardin. Elle compte trente-six
plants dans sa longueur. L'arrangement en quinconce permet de
voir ces plants comme alignés suivant trois autres directions:
d'abord la perpendiculaire à la première direction citée, puis deux

autres, perpendiculaires entre elles également, et formant avec les deux premières des angles de quarante-cinq degrés. Ces deux dernières sont donc respectivement parallèle et perpendiculaire à l'axe de la vallée – et au bord inférieur du jardin.

Le jardin n'est, en ce moment, qu'un carré de terre nue, labouré de fraîche date, d'où n'émergent qu'une douzaine de jeunes orangers, maigres, un peu moins hauts qu'un homme, plantés sur la demande de A...

La maison n'occupe pas toute la largeur du jardin. Ainsi est-elle isolée, de toute part, de la masse verte des bananiers.

Sur la terre nue, devant le pignon ouest, se projette l'ombre gauchie de la maison. L'ombre du toit est raccordée à l'ombre de la terrasse par l'ombre oblique du pilier d'angle. La balustrade y forme une bande à peine ajourée, alors que la distance réelle entre les balustres n'est guère plus petite que l'épaisseur moyenne de ceux-ci.

Les balustres sont en bois tourné, avec un ventre médian et deux renflements accessoires, plus étroits, vers chacune des extrémités. La peinture, qui a presque complètement disparu sur le dessus de la barre d'appui, commence également à s'écailler sur les parties bombées des balustres; ils présentent, pour la plupart, une large zone de bois nu à mi-hauteur, sur l'arrondi du ventre, du côté de la terrasse. Entre la peinture grise qui subsiste, palie pâr l'âge, et le bois devenu gris sous l'action de l'humidité, apparaissent de petites surfaces d'un brun rougeâtre – la couleur naturelle du bois – là où celui-ci vient d'être laissé à découvert par la chute récente de nouvelles écailles. Toute la balustrade doit être repeinte en jaune vif: ainsi en a décidé A...

Les fenêtres de sa chambre sont encore fermées. Seul le système de jalousies qui remplace les vitres a été ouvert, au maximum, donnant ainsi à l'intérieur une clarté suffisante. A... est debout contre la fenêtre de droite et regarde par une des fentes, vers la terrasse.

L'homme se tient toujours immobile,* penché vers l'eau boueuse, sur le pont en rondins recouverts de terre. Il n'a pas bougé d'une ligne: accroupi, la tête baissée, les avant-bras s'appuyant sur les cuisses, les deux mains pendant entre les genoux écartés.

Devant lui, dans la parcelle qui longe le petit cours d'eau sur son autre rive, de nombreux régimes paraissent mûrs pour la coupe. Plusieurs pieds ont été récoltés déjà, dans ce secteur. Leurs places vides ressortent avec une netteté parfaite, dans la succession des alignements géométriques. Mais, en regardant mieux, il est possible de discerner le rejet déjà grand qui va remplacer le bananier coupé, à quelques décimètres de la vieille souche, commençant ainsi à gauchir la régularité idéale des quinconces.

Le bruit d'un camion qui monte la route, sur ce versant-ci de la vallée, se fait entendre de l'autre côté de la maison.

La silhouette de A . . ., découpée en lamelles horizontales par la jalousie, derrière la fenêtre de sa chambre, a maintenant disparu.

Ayant atteint la partie plate de la route, juste au-dessous du rebord rocheux par lequel le plateau s'interrompt, le camion change de vitesse et continue avec un ronronnement moins sourd. Ensuite son bruit décroît, progressivement, à mesure qu'il s'éloigne vers l'est, à travers la brousse roussie parsemée d'arbres au feuillage rigide, en direction de la concession suivante, celle de Franck.

La fenêtre de la chambre – celle qui est la plus proche du couloir – s'ouvre à deux battants. Le buste de A . . . s'y tient encadré. Elle dit «Bonjour», du ton enjoué de quelqu'un qui a bien dormi et se réveille d'agréable humeur; ou de quelqu'un, du moins, qui préfère ne pas montrer ses préoccupations – s'il en a – et arbore, par principe, toujours le même sourire; le même sourire où se lit, aussi bien, la dérision que la confiance, ou l'absence totale de sentiments.

D'ailleurs elle ne vient pas de se réveiller. Il est manifeste qu'elle a déjà pris sa douche. Elle a gardé son déshabillé matinal, mais ses lèvres sont fardées, de ce rouge identique à leur rouge naturel, à peine un peu plus soutenu, et sa chevelure peignée avec soin brille au grand jour de la fenêtre, lorsqu'en tournant la tête elle déplace les boucles souples, lourdes, dont la masse noire retombe sur la soie blanche de l'épaule.

Elle se dirige vers la grosse commode, contre la cloison du fond. Elle entrouvre le tiroir supérieur, pour y prendre un objet de petite taille, et se retourne vers la lumière. Sur le pont de rondins* l'indigène accroupi a disparu. Il n'y a personne de visible aux alentours. Aucune équipe n'a affaire dans ce secteur, pour le moment.

A ... est assise à la table, la petite table à écrire qui se trouve contre la cloison de droite, celle du couloir. Elle se penche en avant sur quelque travail minutieux et long: remaillage d'un bas très fin, polissage des ongles, dessin au crayon d'une taille réduite. Mais A ... ne dessine jamais; pour reprendre une maille filée,* elle serait placée plus près du jour; si elle avait besoin d'une table pour se faire les ongles, elle n'aurait pas choisi cette table-là.

Malgré l'apparente immobilité de la tête et des épaules, des vibrations saccadées agitent la masse noire de ses cheveux. De temps à autre elle redresse le buste et semble prendre du recul pour mieux juger de son ouvrage. D'un geste lent, elle rejette en arrière une mèche, plus courte, qui s'est détachée de cette coiffure trop mouvante, et la gêne. La main s'attarde à remettre en ordre les ondulations, où les doigts effilés se plient et se déplient, l'un après l'autre, avec rapidité quoique sans brusquerie, le mouvement se communiquant de l'un à l'autre d'une manière continue, comme s'ils étaient entraînés par le même mécanisme.

Penchée de nouveau, elle a maintenant repris sa tâche interrompue. La chevelure lustrée luit de reflets roux, dans le creux des boucles. De légers tremblements, vite amortis, la parcourent d'une épaule vers l'autre, sans qu'il soit possible de voir remuer, de la moindre pulsation, le reste du corps.

Sur la terrasse, devant les fenêtres du bureau, Franck est assis à sa place habituelle, dans un des fauteuils de fabrication locale. Seuls ces trois-là ont été sortis ce matin. Ils sont disposés comme à l'ordinaire: les deux premiers rangés côte à côte sous la fenêtre, le troisième un peu à l'écart, de l'autre côté de la table basse.

A ... est elle-même allée chercher les boissons, eau gazeuse et cognac. Elle dépose sur la table un plateau chargé portant les deux bouteilles et trois grands verres. Ayant débouché le cognac, elle se tourne vers Franck et le regarde, tandis qu'elle commence à le servir. Mais Franck, au lieu de surveiller le niveau de l'alcool, qui monte, regarde un peu trop haut, vers le visage de A ... Elle s'est confectionné un chignon bas,* dont les torsades savantes semblent sur le point de se dénouer; quelques épingles cachées

18

doivent cependant le maintenir avec plus de fermeté que l'on ne croit.

La voix de Franck a poussé une exclamation «Hé là! C'est beaucoup trop!» ou bien: «Halte là! C'est beaucoup trop!» ou «dix fois trop», «la moitié trop», etc. . . . Il tient la main droite en l'air, à la hauteur de sa tête, les doigts légèrement écartés. A . . . se met à rire.

«Vous n'aviez qu'à m'arrêter avant!

– Mais je ne voyais pas, proteste Franck.

– Eh bien, répond-elle, il ne fallait pas regarder ailleurs.»

Ils se dévisagent, sans rien ajouter. Franck accentue son sourire qui lui plisse le coin des yeux. Il entrouvre la bouche, comme s'il allait dire quelque chose. Mais il ne dit rien. Les traits de A . . . , de trois quarts arrière, ne laissent rien apercevoir.

Au bout de plusieurs minutes – ou plusieurs secondes – ils sont toujours l'un et l'autre dans la même position. La figure de Franck ainsi que tout son corps se sont comme figés. Il est vêtu d'un short et d'une chemise kaki à manches courtes, dont les pattes d'épaules et les poches boutonnées ont une allure vaguement militaire. Sur ses demi-bas en coton rugueux, il porte des chaussures de tennis enduites d'une épaisse couche de blanc, qui se craquelle aux endroits où plie la toile sur le dessus du pied.

A . . . est en train de verser l'eau minérale dans les trois verres, alignés sur la table basse. Elle distribue les deux premiers, puis, tenant le troisième en main, va s'asseoir dans le fauteuil vide, à côté de Franck. Celui-ci a déjà commencé à boire.

«C'est assez froid? lui demande A . . . Les bouteilles sortent du frigo.»

Franck hoche la tête et boit une nouvelle gorgée.

«On peut mettre de la glace si vous voulez», dit A . . .

Et, sans attendre, une réponse, elle appelle le boy.

Un silence se fait, au cours duquel le boy devrait apparaître, sur la terrasse, à l'angle de la maison. Mais personne ne vient.

Franck regarde A . . . , comme si elle était tenue d'appeler* une seconde fois, ou de se lever, ou de prendre une décision quelconque. Elle esquisse une moue rapide* en direction de la balustrade.

«Il n'entend pas, dit-elle. Un de nous ferait mieux d'y aller.»

Ni elle ni Franck ne bouge de son siège. Sur le visage de A . . . , tendu de profil vers le coin de la terrasse, il n'y a plus ni sourire ni attente, ni signe d'encouragement. Franck contemple les petites bulles de gaz collées aux parois de son verre, qu'il tient devant ses yeux à une très faible distance.

Une gorgée suffit pour affirmer que cette boisson n'est pas assez froide. Franck n'a pas encore répondu nettement, bien qu'il en ait déjà bu deux. Du reste, une seule bouteille vient du réfrigérateur: l'eau minérale, dont les parois verdâtres sont ternies d'une buée légère où la main aux doigts effilés a laissé son empreinte.

Le cognac, lui, reste toujours dans le buffet. A . . . , qui chaque jour apporte le seau à glace en même temps que les verres, ne l'a pas fait aujourd'hui.

«Bah! dit Franck, ça n'est peut-être pas la peine.»

Pour se rendre à l'office,* le plus simple est de traverser la maison. Dès la porte franchie,* une sensation de fraîcheur accompagne la demi-obscurité. A droite la porte du bureau est entre-bâillée.*

Les chaussures légères à semelles de caoutchouc ne font aucun bruit sur le carrelage du couloir. Le battant de la porte tourne sans grincer sur ses gonds. Le sol du bureau est carrelé, lui aussi. Les trois fenêtres sont fermées et leurs jalousies n'ont été qu'entrou-vertes, pour empêcher la chaleur de midi d'envahir la pièce.

Deux des fenêtres donnent sur la partie centrale de la terrasse. La première, celle de droite, laisse voir par sa plus basse fente, entre les deux dernières lamelles de bois à inclinaison variable, la cheve-lure noire – le haut de celle-ci, du moins.

A . . . est immobile, assise bien droite au fond de son fauteuil. Elle regarde vers la vallée, devant eux. Elle se tait. Franck, invisible sur la gauche, se tait également, ou bien parle à voix très basse.

Alors que le bureau – comme les chambres et la salle de bains – ouvre sur les côtés du couloir, celui-ci se termine en bout par la salle à manger, dont il n'est séparé par aucune porte. La table est mise pour trois personnes. A . . . vient sans doute de faire ajouter le couvert de Franck, puisqu'elle était censée n'attendre aucun invité pour le déjeuner d'aujourd'hui.

Les trois assiettes sont disposées comme à l'ordinaire, chacune au milieu d'un des bords de la table carrée. Le quatrième côté, qui n'a pas de couvert, est celui qui longe à deux mètres environ la cloison nue, où la peinture claire porte encore la trace du mille-pattes écrasé.

Dans l'office, le boy est en train déjà d'extraire les cubes de glace de leurs cases. Un seau plein d'eau, posé à terre, lui a servi à réchauffer la petite cuve métallique. Il lève la tête et sourit largement.

Il aurait à peine eu le temps d'aller prendre les ordres de A . . . , sur la terrasse, et de revenir jusqu'ici (par l'extérieur) avec les objets nécessaires.

«Madame, elle a dit d'apporter la glace», annonce-t-il avec le ton chantant des noirs, qui détache certaines syllabes en les accentuant d'une façon excessive, au milieu des mots parfois.

A une question peu précise concernant le moment où il a reçu cet ordre, il répond: «Maintenant», ce qui ne fournit aucune indication satisfaisante. Elle peut lui avoir demandé cela en allant chercher le plateau, tout simplement.

Le boy, seul, pourrait le confirmer. Mais il ne voit dans l'interrogation, mal posée, qu'une invite à se dépêcher davantage.

«Tout de suite j'apporte», dit-il pour faire prendre patience.

Il parle de façon assez correcte, mais ne saisit pas toujours ce que l'on veut obtenir de lui. A . . . parvient pourtant sans aucun mal à s'en faire comprendre.

Vu de la porte de l'office, le mur de la salle à manger paraît sans tache. Aucun bruit de conversation n'arrive de la terrasse, à l'autre bout du couloir.

A gauche, la porte du bureau est cette fois demeurée grande ouverte. Mais l'inclinaison trop forte des lames, aux fenêtres, ne permet pas d'observer l'extérieur depuis le seuil.

C'est à une distance de moins d'un mètre seulement qu'apparaissent dans les intervalles successifs, en bandes parallèles que séparent les bandes plus larges de bois gris, les éléments d'un paysage discontinu: les balustres en bois tourné, le fauteuil vide, la table basse où un verre plein repose à côté du plateau portant les deux bouteilles, enfin le haut de la chevelure noire, qui pivote à cet instant vers la droite, où entre en scène au-dessus de la table un avant-bras nu, de couleur brun foncé, terminé par une main plus pâle tenant le seau à glace. La voix de A . . . remercie le boy. La main brune disparaît. Le seau de métal étincelant, qui se couvre bientôt de buée, reste posé sur le plateau à côté des deux bouteilles.

Le chignon de A . . . vu de si près, par derrière, semble d'une grande complication. Il est très difficile d'y suivre dans leurs emmêlements les différentes mèches: plusieurs solutions conviennent, par endroit, et ailleurs aucune.

Au lieu de servir la glace, elle continue à regarder vers la vallée. De la terre du jardin, fragmentée en tranches verticales par la balustrade, puis en tranches horizontales par les jalousies, il ne reste que de petits carrés représentant une part très faible de la surface totale – peut-être le tiers du tiers.

Le chignon de A . . . est au moins aussi déroutant lorsqu'il se présente de profil. Elle est assise à la gauche de Franck. (Il en est toujours ainsi: à la droite de Franck sur la terrasse pour le café ou l'apéritif, à sa gauche pendant les repas dans la salle à manger.) Elle tourne encore le dos aux fenêtres, mais c'est à présent de ces fenêtres que vient le jour. Il s'agit ici de fenêtres normales, munies de vitres: donnant au nord, elles ne reçoivent jamais le soleil.

Les fenêtres sont closes. Aucun bruit ne pénètre à l'intérieur quand une silhouette passe au dehors devant l'une d'elles, longeant la maison à partir des cuisines et se dirigeant du côté des hangars. C'était, coupé à mi-cuisses, un noir en short, tricot de corps, vieux chapeau mou, à la démarche rapide et ondulante, pieds nus probablement. Son couvre-chef de feutre, informe, délavé, reste en mémoire et devrait le faire reconnaître aussitôt parmi tous les ouvriers de la plantation. Il n'en est rien, cependant.

La seconde fenêtre se trouve située en retrait, par rapport à la table; elle oblige donc à une rotation du buste vers l'arrière. Mais aucun personnage ne se profile devant celle-là, soit que l'homme au chapeau l'ait déjà dépassée, de son pas silencieux, soit qu'il vienne de s'arrêter ou de changer soudain sa route. Son évanouissement n'étonne guère, faisant au contraire douter de sa première apparition.

«C'est mental, surtout, ces choses-là», dit Franck.

Le roman africain, de nouveau, fait les frais de leur conversation.*

«On parle de climat, mais ça ne signifie rien.

– Les crises de paludisme . . .

– Il y a la quinine.

– Et la tête, aussi, qui bourdonne à longueur de journée.»

Le moment est venu de s'intéresser à la santé de Christiane.*
Franck répond par un geste de la main: une montée suivie d'une
chute plus lente, qui se perd dans le vague, tandis que les doigts se
referment sur un morceau de pain posé près de l'assiette. En même
temps la lèvre inférieure s'est avancée et le menton a indiqué
rapidement la direction de A . . . , qui a dû poser une question
identique, un peu plus tôt.

Le boy fait son entrée, par la porte ouverte de l'office, tenant à
deux mains un grand plat creux.

A . . . n'a pas prononcé les commentaires que le mouvement de
Franck était censé introduire. Il reste une ressource: prendre des
nouvelles de l'enfant. Le même geste – ou peu s'en faut – se reproduit, qui s'achève encore dans le mutisme de A . . .

«Toujours pareil», dit Franck.

En sens inverse, derrière les carreaux, repasse le chapeau de
feutre. L'allure souple, vive et molle à la fois, n'a pas changé. Mais
l'orientation contraire du visage dissimule entièrement celui-ci.

Au delà du verre grossier, d'une propreté parfaite, il n'y a plus
que la cour caillouteuse, puis, montant vers la route et le bord du
plateau, la masse verte des bananiers. Dans leur feuillage sans nuance
les défauts de la vitre dessinent des cercles mouvants.

La lumière elle-même est comme verdie qui éclaire la salle à
manger, les cheveux noirs aux improbables circonvolutions, la
nappe sur la table et la cloison nue où une tache sombre, juste en
face de A . . . , ressort sur la peinture claire, unie et mate.

Pour voir le détail de cette tache avec netteté, afin d'en distinguer l'origine, il faut s'approcher tout près du mur et se tourner
vers la porte de l'office. L'image du mille-pattes écrasé se dessine
alors, non pas intégrale, mais composée de fragments assez précis
pour ne laisser aucun doute. Plusieurs des articles du corps ou des
appendices ont imprimé là leurs contours, sans bavure, et demeurent reproduits avec une fidélité de planche anatomique: une
des antennes, deux mandibules recourbées, la tête et le premier

anneau, la moitié du second, trois pattes de grande taille. Viennent ensuite des restes plus flous: morceaux de pattes et forme partielle d'un corps convulsé en point d'interrogation.

C'est à cette heure-ci que l'éclairage de la salle à manger est le plus favorable. De l'autre côté de la table carrée où le couvert n'est pas encore mis, une des fenêtres, dont aucune trace de poussière ne ternit les vitres, est ouverte sur la cour qui se reflète, en outre, dans l'un des battants.

Entre les deux battants, comme à travers celui de droite qui est à demi poussé, s'encadre, divisée en deux par le montant vertical, la partie gauche de la cour où la camionnette bâchée stationne, son capot tourné vers le secteur nord de la bananeraie. Il y a sous la bâche une caisse en bois blanc, neuve, marquée de grosses lettres noires, à l'envers, peintes au pochoir.

Dans le battant gauche, le paysage réfléchi est plus brillant quoique plus sombre. Mais il est distordu par les défauts du verre, des taches de verdure circulaires ou en forme de croissants, de la teinte des bananiers, se promenant au milieu de la cour devant les hangars.

Entamée par un de ces anneaux mobiles de feuillage, la grosse conduite-intérieure bleue demeure néanmoins bien reconnaissable, ainsi que la robe de A . . ., debout près de la voiture.

Elle est penchée vers la portière. Si la vitre en a été baissée – ce qui est vraisemblable – A . . . peut avoir introduit son visage dans l'ouverture au-dessus des coussins. Elle risque en se redressant de défaire sa coiffure contre les bords du cadre et de voir ses cheveux se répandre, à la rencontre du conducteur resté au volant.

Celui-ci est encore là pour le dîner, affable et souriant. Il se laisse tomber dans un des fauteuils tendus de cuir, sans que personne le lui ait désigné, et prononce son exclamation coutumière au sujet de leur confort:

«Ce qu'on est bien là-dedans!»

Sa chemise blanche fait une tache plus pale dans la nuit, contre le mur de la maison.

Pour ne pas risquer d'en renverser le contenu par un faux mouvement, dans l'obscurité complète, A . . . s'est approchée le plus possible du fauteuil où est assis Franck, tenant avec précaution dans la main droite le verre qu'elle lui destine. Elle s'appuie de l'autre main au bras du fauteuil et se penche vers lui, si près que leurs têtes sont l'une contre l'autre. Il murmure quelques mots: sans doute un remerciement. Mais les paroles se perdent dans le vacarme assourdissant des criquets qui monte de toutes parts.

A table, la disposition des lampes une fois modifiée de manière à éclairer moins directement les convives, la conversation reprend, sur les sujets familiers, avec les mêmes phrases.

Le camion de Franck est tombé en panne au milieu de la montée, entre le kilomètre soixante* – point où la route quitte la plaine – et le premier village. C'est une voiture de la gendarmerie qui, passant par là, s'est arrêtée à la plantation pour prévenir Franck. Quand celui-ci est arrivé sur les lieux, deux heures plus tard, il n'a pas trouvé son camion à l'endroit indiqué, mais beaucoup plus bas, le chauffeur ayant essayé de lancer le moteur en marche arrière, au risque de s'écraser contre un arbre en manquant un des tournants.

Espérer un résultat quelconque, en opérant de cette façon, était d'ailleurs absurde. Il a fallu démonter complètement le carburateur, une fois de plus. Franck heureusement avait emporté un casse-croûte, car il n'a été de retour qu'à trois heures et demie. Il a décidé de remplacer ce camion le plus tôt possible, et c'est bien la dernière fois – dit-il – qu'il achète du vieux matériel militaire:

«On croit faire un bénéfice, mais ça coûte en définitive beaucoup plus.»

Son intention est de prendre maintenant un véhicule neuf. Il va descendre lui-même jusqu'au port à la première occasion et rencontrer les concessionnaires des principales marques, afin de connaître exactement les prix, les divers avantages, les délais de livraison, etc. . . .

S'il avait un peu plus d'expérience, il saurait qu'on ne confie pas de machines modernes à des chauffeurs noirs, qui les démolissent tout aussi vite, sinon plus.

«Quand comptez-vous y aller? demande A . . .

– Je ne sais pas . . . » Ils se regardent, tournés l'un vers l'autre, par-dessus le plat que Franck soutient d'un seul bras, vingt centimètres plus haut que le niveau de la table. «Peut-être la semaine prochaine.

– Il faut aussie que je descende en ville, dit A . . . ; j'ai des quantités de courses à faire.

– Eh bien, je vous emmène. En partant de bonne heure, nous pouvons être rentrés dans la nuit.»*

Il pose le plat, sur sa gauche, et s'apprête à se servir. A . . . ramène son regard dans l'axe de la table.

«Un mille-pattes!» dit-elle à voix plus contenue, dans le silence qui vient de s'établir.

Franck relève les yeux. Se réglant, ensuite, sur la direction indiquée par ceux – immobiles – de sa voisine, il tourne la tête de l'autre côté, vers sa droite.

Sur la peinture claire de la cloison, en face de A . . ., une scutigère de taille moyenne (longue à peu près comme le doigt) est apparue, bien visible malgré la douceur de l'éclairage. Elle ne se déplace pas, pour le moment, mais l'orientation de son corps indique un chemin qui coupe le panneau en diagonale: venant de la plinthe, côté couloir, et se dirigeant vers l'angle du plafond. La bête est facile à identifier grâce au grand développement des pattes, à la partie postérieure surtout. En l'observant avec plus d'attention, on distingue, à l'autre bout, le mouvement de bascule des antennes.

A . . . n'a pas bronché depuis sa découverte: très droite sur sa chaise, les deux mains reposant à plat sur la nappe de chaque côté de son assiette. Les yeux grands ouverts fixent le mur. La bouche n'est pas tout à fait close et, peut-être, tremble imperceptiblement.

Il n'est pas rare de rencontrer ainsi différentes sortes de mille-pattes, à la nuit tombée, dans cette maison de bois déjà ancienne. Et cette espèce-ci n'est pas une des plus grosses, elle est loin d'être la plus venimeuse. A . . . fait bonne contenance, mais elle ne réussit pas à se distraire de sa contemplation, ni à sourire de la plaisanterie concernant son aversion pour les scutigères.

Franck, qui n'a rien dit, regarde A . . . de nouveau. Puis il se lève de sa chaise, sans bruit, gardant sa serviette à la main. Il roule celle-ci en bouchon et s'approche du mur.

A . . . semble respirer un peu plus vite; ou bien c'est une illusion. Sa main gauche se ferme progressivement sur son couteau. Les fines antennes accélèrent leur balancement alterné.

Soudain la bête incurve son corps et se met à descendre en biais vers le sol, de toute la vitesse de ses longues pattes, tandis que la serviette en boule s'abat, plus rapide encore.

La main aux doigts effilés s'est crispée sur le manche du couteau; mais les traits du visage n'ont rien perdu de leur fixité. Franck écarte la serviette du mur et, avec son pied, achève d'écraser quelque chose sur le carrelage, contre la plinthe.

Un mètre plus haut environ, la peinture reste marquée d'une forme sombre, un petit arc qui se tord en point d'interrogation, s'estompant à demi d'un côté, entouré çà et là de signes plus ténus, d'où A . . . n'a pas encore détaché son regard.

Le long de la chevelure défaite, la brosse descend avec un bruit léger, qui tient du souffle et du crépitement.* A peine arrivée en bas, très vite, elle remonte vers la tête, où elle frappe de toute la surface des poils, avant de glisser derechef sur la masse noire, ovale couleur d'os dont le manche, assez court, disparaît presque entièrement dans la main qui l'enserre avec fermeté.

Une moitié de la chevelure pend dans le dos, l'autre main ramène en avant de l'épaule l'autre moitié. Sur ce côté (le côté droit) la tête s'incline, de manière à mieux offrir les cheveux à la brosse. Chaque fois que celle-ci s'abat, tout en haut, derrière la nuque, la tête penche davantage et remonte ensuite avec effort, pendant que la main droite – qui tient la brosse – s'éloigne en sens inverse. La main gauche – qui entoure les cheveux sans les serrer, entre le poignet, la paume et les doigts – lui laisse un instant libre passage et se referme en rassemblant les mèches à nouveau, d'un geste sûr, arrondi, mécanique, tandis que la brosse continue sa course jusqu'à l'extrême pointe. Le bruit, qui varie progressivement d'un bout à l'autre, n'est plus alors qu'un pétillement sec et peu nourri, dont les derniers éclats se produisent une fois que la brosse, quittant les plus longs cheveux, est en train déjà de remonter la branche ascendante du cycle, décrivant dans l'air une courbe rapide qui la reporte au-dessus du cou, là où les cheveux sont aplatis sur l'arrière de la tête et dégagent la blancheur d'une raie médiane.

A gauche de cette raie, l'autre moitié de la chevelure noire pend librement jusqu'à la taille, en ondulations souples. Plus à gauche encore le visage ne laisse voir qu'un profil perdu. Mais, au delà, c'est la surface du miroir, qui renvoie l'image du visage entier, de face, et le regard – inutile sans doute pour la surveillance du brossage – dirigé en avant comme il est naturel.

Ainsi les yeux de A . . . devraient rencontrer la fenêtre grande ouverte qui donne sur le pignon ouest, face à laquelle elle se coiffe devant la petite table agencée pour cet usage, munie en particulier d'une glace verticale qui réfléchit le regard en arrière, vers la troisième fenêtre de la chambre, la partie centrale de la terrasse et l'amont de la vallée.

La seconde fenêtre, qui donne au midi comme cette dernière, est seulement plus proche de l'angle sud-ouest de la maison; elle aussi est ouverte en grand. Elle montre le côté de la table-coiffeuse, la tranche du miroir, le profil gauche du visage et les cheveux défaits qui tombent librement sur l'épaule, le bras gauche qui se replie pour atteindre la moitié droite de la chevelure.

Comme la nuque s'incline de biais sur ce côté, le visage se trouve légèrement tourné vers la fenêtre. Sur la plaque de marbre aux rares traînées grises sont alignés les pots et les flacons, de tailles et de formes diverses; plus en avant repose un grand peigne d'écaille et une seconde brosse, en bois celle-ci, à manche plus long, qui présente sa face hérissée de soies noires.

A . . . doit venir de se laver les cheveux, car elle ne serait pas, sans cela, occupée à les peigner au milieu du jour. Elle a interrompu ses mouvements, ayant peut-être fini avec ce côté-là. C'est néanmoins sans changer la position des bras, ni bouger le buste, qu'elle tourne tout à fait son visage vers la croisée située à sa gauche, pour regarder la terrasse, la balustrade à jours et le versant opposé du vallon.

L'ombre raccourcie du pilier qui soutient l'angle du toit se projette sur les dalles de la terrasse en direction de la première fenêtre, celle du pignon; mais elle est loin de l'atteindre, car le soleil est encore trop haut dans le ciel. Le pignon de la maison est tout entier dans l'ombre du toit; quant au segment ouest de la terrasse, le long de ce pignon, une bande ensoleillée d'un mètre à peine s'y intercale entre l'ombre du toit et l'ombre de la balustrade, que n'interrompt à ce moment aucune entaille.

C'est devant cette fenêtre, à l'intérieur de la chambre, qu'a été poussée la coiffeuse en acajou verni et marbre blanc, dont un exemplaire figure toujours dans ces habitations de style colonial.

L'envers du miroir est une plaque de bois plus grossier, rougeâtre également, mais terne, de forme ovale, qui porte une inscription à la craie effacée aux trois quarts. A droite, le visage de A . . . , qu'elle penche maintenant vers sa gauche pour brosser l'autre moitié de la chevelure, laisse dépasser un œil qui regarde devant soi, comme il est naturel, vers la fenêtre béante et la masse verte des bananiers.

Au bout de cette branche ouest de la terrasse s'ouvre la porte extérieure de l'office, qui donne accès ensuite à la salle à manger, où la fraîcheur se maintient tout l'après-midi. Sur la cloison nue, entre la porte de l'office et le couloir, la tache formée par les restes du mille-pattes est à peine visible sous l'incidence rasante.* Le couvert est mis pour trois personnes; trois assiettes occupent trois des côtés de la table carrée: le côté du buffet, le côté des fenêtres, le côté tourné vers le centre de la longue pièce, dont l'autre moitié forme une sorte de salon, après la ligne médiane déterminée par l'ouverture du couloir et la porte donnant sur la cour, grâce à laquelle il serait aisé de rejoindre les hangars où le contremaître indigène a son bureau.

Mais pour apercevoir le salon depuis la table – ou, par une fenêtre, le côté des hangars – il faudrait occuper la place de Franck: le dos tourné au buffet.

Cette place est vide, à présent. La chaise est cependant mise au bon endroit, l'assiette et les couverts sont à leur place aussi; mais il n'y a rien entre le bord de la table et le dossier de la chaise, qui garde à découvert ses garnitures de pailles épaisses ordonnées en croix; et l'assiette est propre, brillante, entourée des couteaux et fourchettes au complet, comme au début du repas.

A . . . qui s'est enfin résolue à faire servir le déjeuner sans plus attendre l'hôte, puisqu'il n'arrivait pas, est assise rigide et muette à sa propre place, devant les fenêtres. Cette situation à contre-jour, dont le manque de commodité paraît flagrant, a été choisie par elle-même une fois pour toutes. Elle mange avec une économie de gestes extrême, sans tourner la tête à droite ni à gauche, les paupières un peu plissées comme si elle cherchait à découvrir quelque tache sur la cloison nue en face d'elle, où la peinture immaculée n'offre pourtant pas la moindre prise au regard.*

Après avoir desservi les hors-d'œuvre en se gardant de changer l'assiette inutile de l'invité absent, le boy opère une nouvelle entrée, par la porte ouverte de l'office, tenant à deux mains un grand plat creux. A . . . ne se détourne même pas pour y jeter son coup d'œil de maîtresse de maison. A sa droite, sans rien dire, le boy dépose le plat sur la nappe blanche. Il contient une purée jaunâtre, d'ignames probablement, d'où s'élève une mince ligne de vapeur, qui soudain se courbe, s'étale, s'évanouit sans laisser de trace pour reparaître aussitôt, longue, fine et verticale, au-dessus de la table.

Au milieu de celle-ci figure déja un autre plat intact, où, sur un fond de sauce brune, sont rangés l'un près de l'autre trois oiseaux rôtis de petit format.

Le boy s'est retiré, silencieux comme à l'ordinaire. A . . . , tout à coup, se décide à quitter le mur nu et considère à tour de rôle les deux plats, sur sa droite et devant elle. Ayant saisi la cuillère appropriée, elle se sert, avec des gestes mesurés et précis: le plus petit des trois oiseaux, puis un peu de purée. Ensuite elle prend le plat qui est à sa droite et le dépose à sa gauche; la grande cuillère est restée dedans.

Elle commence, dans son assiette, un méticuleux exercice de découpage. Malgré la petitesse de l'objet, comme s'il s'agissait d'une démonstration d'anatomie, elle décolle les membres, tronçonne le corps aux points d'articulation, détache la chair du squelette avec la pointe de son couteau tout en maintenant les pièces avec sa fourchette, sans appuyer, sans jamais s'y reprendre à deux fois, sans même avoir l'air d'effectuer un travail difficile ou inhabituel. Ces oiseaux, il est vrai, reviennent souvent dans le menu.

Lorsqu'elle a terminé, elle relève la tête dans l'axe de la table et reste immobile de nouveau, pendant que le boy enlève les assiettes garnies de petits os brunâtres, puis les deux plats, dont l'un contient encore le troisième oiseau rôti, celui qui était destiné à Franck.

Le couvert de celui-ci demeure dans son état primitif jusqu'à la fin du repas. Sans doute a-t-il été retardé, comme cela n'est pas rare, par quelque incident survenu dans sa plantation, puisqu'il n'aurait pas remis ce déjeuner pour d'éventuels malaises de sa femme ou de son enfant.

Bien qu'il soit peu probable que l'invité vienne maintenant, peut-être A . . . guette-t-elle encore le bruit d'une voiture descendant la pente depuis la grand-route. Mais par les fenêtres de la salle à manger, dont l'une au moins est à demi ouverte, n'arrive aucun ronronnement de moteur, ni autre bruit, à cette heure de la journée où tout travail s'est interrompu et où les bêtes se taisent, dans la chaleur.

La fenêtre du coin a ses deux battants ouverts – en partie, toutefois. Celui de droite n'est qu'entrebâillé, si bien qu'il masque encore sensiblement la moitié de l'embrasure. Le gauche au contraire est poussé en arrière vers le mur, mais pas à fond non plus: il ne s'écarte guère, en fait, de la perpendiculaire au plan du chambranle. La fenêtre présente, de cette façon, trois panneaux d'égale hauteur qui sont de largeur voisine: au milieu l'ouverture béante et, de chaque côté, une partie vitrée comprenant trois carreaux. Dans l'une comme dans les autres s'encadrent des fragments du même paysage: la cour caillouteuse et la masse verte des bananiers.

Les vitres sont d'une propreté parfaite et, dans le panneau de droite, la disposition des lignes n'est qu'à peine altérée par les défauts du verre, qui donnent simplement quelques nuances mouvantes aux surfaces trop uniformes. Mais dans le panneau de gauche, plus sombre quoique plus brillant, l'image réfléchie est franchement distordue, des taches de verdure circulaires ou en forme de croissants, de la couleur des bananiers, se promenant au milieu de la cour devant les hangars.

La grosse conduite-intérieure bleue de Franck,* qui vient de s'arrêter là, se trouve elle-même entamée par un de ces anneaux mobiles de feuillage, ainsi, maintenant, que la robe blanche de A . . . descendue la première de la voiture.

Elle se penche vers la portière fermée. Si la vitre en a été baissée – ce qui est vraisemblable – A . . . peut avoir introduit son visage dans l'ouverture au-dessus des coussins. Elle risque en se redressant de déranger l'ordonnance de sa coiffure contre les bords du cadre et de voir ses cheveux, d'autant plus prompts à se défaire qu'ils sont fraîchement lavés, se répandre à la rencontre du conducteur resté au volant.

Mais elle s'écarte sans dommage de la voiture bleue, dont le moteur qui a continué de tourner emplit à présent la cour d'un ronflement accru, et, après un dernier regard en arrière, se dirige seule, de son pas décidé, vers la porte centrale de la maison qui ouvre directement sur la grande salle.

En face de cette porte débouche le couloir, sans aucune séparation d'avec le salon-salle à manger. Des portes latérales s'y succèdent, de chaque côté; la dernière à gauche, celle du bureau, n'est pas tout à fait close. Le battant pivote sans grincer sur ses gonds bien huilés;* il retrouve ensuite sa position initiale, avec autant de discrétion.

A l'autre bout de la maison, la porte d'entrée, manœuvrée avec moins de ménagements, s'est ouverte puis refermée; puis le bruit léger, mais net, des hauts talons sur le carrelage traverse la pièce principale et s'approche le long du couloir.

Les pas s'arrêtent devant la porte du bureau, mais c'est celle d'en face, donnant accès à la chambre, qui est ouverte puis refermée.

Symétriques de celles de la chambre, les trois fenêtres ont à cette heure-ci leurs jalousies baissées plus qu'à moitié. Le bureau est ainsi plongé dans un jour diffus qui enlève aux choses tout leur relief. Les lignes en sont tout aussi nettes cependant, mais la succession des plans ne donne plus aucune impression de profondeur, de sorte que les mains se tendent instinctivement en avant du corps, pour reconnaître les distances avec plus de sûreté.

La pièce heureusement n'est pas très encombrée: des classeurs et rayonnages contre les parois, quelques sièges, enfin le massif bureau à tiroirs qui occupe toute la région comprise entre les deux fenêtres au midi, dont l'une – celle de droite, la plus proche du couloir – permet d'observer, par les fentes obliques entre les lames de bois, un découpage en raies lumineuses parallèles de la table et des fauteuils, sur la terrasse.

Sur le coin du bureau se dresse un petit cadre incrusté de nacre, contenant une photographie prise par un opérateur ambulant lors des premières vacances en Europe, après le séjour africain.

Devant la façade d'un grand café au décor modern-style, A . . .

est assise sur une chaise compliquée, métallique, dont les accoudoirs et le dossier, aux spirales en accolades, semblent moins confortables que spectaculaires. Mais A . . . , dans sa façon de se tenir sur ce siège, montre selon son habitude beaucoup de naturel, évidemment sans la moindre mollesse.

Elle s'est un peu tournée pour sourire au photographe, comme afin de l'autoriser à prendre ce cliché impromptu. Son bras nu, en même temps, n'a pas modifié le geste qu'il amorçait pour reposer le verre sur la table, à côté d'elle.

Mais ce n'était pas en vue d'y mettre de la glace, car elle ne touche pas au seau de métal étincelant, qui est bientôt couvert de buée.

Immobile, elle regarde vers la vallée,* devant eux. Elle se tait. Franck, invisible sur la gauche, se tait également. Il est possible qu'elle ait entendu un bruit anormal, derrière son dos, et qu'elle se prépare à quelque mouvement sans préméditation discernable, qui lui permettrait de regarder par hasard en direction de la jalousie.

La fenêtre qui donne à l'est, de l'autre côté du bureau, n'est pas une simple croisée comme l'ouverture correspondante, dans la chambre, mais une porte-fenêtre, qui permet de sortir directement sur la terrasse sans passer par le couloir.*

Cette partie-ci de la terrasse reçoit le soleil du matin, le seul dont personne ne cherche à se protéger. Dans l'air presque frais qui suit le lever du jour, le chant des oiseaux remplace celui des criquets nocturnes, et lui ressemble, quoique plus inégal, agrémenté de temps à autre par quelques sons un peu plus musicaux. Quant aux oiseaux eux-mêmes, ils ne se montrent pas plus que les criquets, restant à couvert sous les panaches de larges feuilles vertes, tout autour de la maison.

Dans la zone de terre nue qui sépare celle-ci de ceux-là, et où se dressent à intervalles égaux les jeunes plants d'orangers – tiges maigres ornées d'un rare feuillage de couleur sombre – le sol scintille des innombrables toiles chargées de rosée, que des araignées minuscules ont tendues entre les mottes de terre après le labour.

A droite, ce bout de terrasse rejoint l'extrémité du salon. Mais c'est toujours en plein air, devant la façade au midi – d'où l'on domine toute la vallée – qu'est servi le déjeuner matinal.

Sur la table basse, près de l'unique fauteuil amené là par le boy, sont déjà disposées la cafetière et la tasse. A . . . n'est pas encore levée, à cette heure-ci. Les fenêtres de sa chambre sont encore fermées.*

Tout au fond de la vallée, sur le pont de rondins qui franchit la petite rivière, il y a un homme accroupi, tourné vers l'amont. C'est un indigène, vêtu d'un pantalon bleu et d'un tricot de corps, sans couleur, qui laisse nues les épaules. Il est penché vers la surface liquide, comme s'il cherchait à voir quelque chose dans l'eau boueuse.

Devant lui, sur l'autre rive, s'étend une pièce en trapèze, curviligne du côté de l'eau, dont tous les bananiers ont été récoltés à une date plus ou moins récente. Il est facile d'y compter les souches, les troncs abattus pour la coupe laissant en place un court moignon terminé par une cicatrice en forme de disque, blanc ou jaunâtre selon son état de fraîcheur. Leur dénombrement par ligne donne, de gauche à droite : vingt-trois, vingt-deux, vingt-deux, vingt-et-un, vingt-et-un, vingt, vingt-et-un, vingt, vingt, etc. . . .

Juste à côté de chaque disque blanc, mais dans des directions variables, a poussé le rejet de remplacement. Suivant la précocité du premier régime, ce nouveau plant a maintenant entre cinquante centimètres et un mètre de haut.

A . . . vient d'apporter les verres, les deux bouteilles et le seau à glace. Elle commence à servir : le cognac dans les trois verres, puis l'eau minérale, enfin trois cubes de glace transparente qui emprisonnent en leur cœur un faisceau d'aiguilles argentées.

«Nous partirons de bonne heure, dit Franck.

– C'est-à-dire?

– Six heures, si vous voulez bien.

– Oh! là là . . .

– Ca vous fait peur?

– Mais non.» Elle rit. Puis, après un silence: «Au contraire, c'est très amusant.»

Ils boivent à petites gorgées.

«Si tout va bien, dit Franck, nous pourrions être en ville vers dix heures et avoir déjà pas mal de temps avant le déjeuner.

– Bien sûr, je préfère aussi», dit A . . . Ils boivent à petites gorgées.

Ensuite ils parlent d'autre chose. Ils ont achevé maintenant l'un comme l'autre la lecture de ce livre qui les occupe depuis quelque temps; leurs commentaires peuvent donc porter sur l'ensemble: c'est-à-dire à la fois sur le dénouement et sur d'anciens épisodes (sujets de conversations passées) que ce dénouement éclaire d'un jour nouveau, ou auxquels il apporte une signification complémentaire.

Jamais ils n'ont émis au sujet du roman le moindre jugement de valeur, parlant au contraire des lieux, des événements, des personnages, comme s'il se fût agi de choses réelles: un endroit dont ils se souviendraient (situé d'ailleurs en Afrique), des gens qu'ils y auraient connus, ou dont on leur aurait raconté l'histoire. Les discussions, entre eux, se sont toujours gardées de mettre en cause la vraisemblance, la cohérence, ni aucune qualité du récit. En revanche il leur arrive souvent de reprocher aux héros eux-mêmes certains actes, ou certains traits de caractère, comme ils le feraient pour des amis communs.

Ils déplorent aussi quelquefois les hasards de l'intrigue, disant que «ce n'est pas de chance»,* et ils construisent alors un autre déroulement probable à partir d'une nouvelle hypothèse, «si ça n'était pas arrivé». D'autres bifurcations possibles se présentent, en cours de route, qui conduisent toutes à des fins différentes. Les variantes sont très nombreuses; les variantes des variantes encore plus. Ils semblent même les multiplier à plaisir, échangeant des sourires, s'excitant au jeu, sans doute un peu grisés* par cette prolifération . . .

«Mais, par malheur, il est justement rentré plus tôt ce jour-là, ce que personne ne pouvait prévoir.»

Franck balaye ainsi d'un seul coup les fictions qu'ils viennent d'échafauder ensemble. Rien ne sert de faire des suppositions contraires, puisque les choses sont ce qu'elles sont: on ne change rien à la réalité.

Ils boivent à petites gorgées.* Dans les trois verres, les morceaux de glace ont maintenant tout à fait disparu. Franck examine ce qui reste de liquide doré, au fond su sien. Il l'incline d'un côté, puis de l'autre, s'amusant à détacher les petites bulles collées aux parois.

«Pourtant, dit-il, ça avait très bien commencé.» Il se tourne vers A . . . pour la prendre à témoin :* «Nous étions partis à l'heure prévue et nous avions roulé sans incident. Il était à peine dix heures quand nous sommes arrivés en ville.»

Franck s'est arrêté. A . . . reprend, comme afin de l'encourager à poursuivre :

«Et vous n'avez rien remarqué d'anormal, n'est-ce pas, durant toute la journée?

— Non, rien du tout. En un sens, il aurait mieux valu que la panne se produise tout de suite, avant le déjeuner. Pas pendant le voyage, mais en ville, avant le déjeuner. Ça m'aurait gêné pour certaines de mes courses, un peu éloignées du centre, mais au moins j'aurais eu le temps de trouver un garagiste pour faire la réparation dans l'après-midi.

— Car, en somme, ça n'était pas grand, chose, précise A . . . d'un air interrogatif.

— Non, rien du tout.»

Franck regarde son verre. Au bout d'un assez long silence, et quoique personne ne lui ait rien demandé cette fois, il continue ses explications :

«Au moment de mettre en route, après le dîner, le moteur n'a plus rien voulu savoir.* Il était trop tard, évidemment, pour tenter quoi que ce soit : tous les garages étaient fermés. Nous n'avions plus qu'à attendre le lendemain.»

Les phrases se succèdent, chacune à sa place, s'enchaînant de façon logique. Le débit mesuré, uniforme, ressemble de plus en plus à celui du témoignage en justice, ou de la récitation.

«Quand même, dit A . . ., vous avez cru d'abord que vous pourriez réparer tout seul. En tout cas vous avez essayé. Mais vous n'êtes pas un mécanicien bien étonnant,* n'est-ce pas?»

Elle sourit en prononçant ces derniers mots. Ils se regardent. Il sourit à son tour. Puis, lentement, cela se transforme en une sorte de grimace. Elle, en revanche, conserve son air de sérénité amusée.

Ce n'est pourtant pas l'habitude des réparations de fortune qui peut manquer à Franck, lui dont le camion est toujours en panne . . .

«Oui, dit-il, ce moteur-là je commence à le connaître. Mais la voiture, elle, ne m'a pas donné souvent d'ennuis.»

En effet il ne doit jamais avoir été question d'aucun autre incident concernant la grosse conduite-intérieure bleue, qui du reste est presque neuve.

«Il faut un commencement à tout», répond Franck. Puis, après une pause: «Ça n'est pas de chance,* justement ce jour-là . . . »

Un petit geste de la main droite – une montée suivie d'une chute plus lente – vient se terminer à son point de départ, sur la bande de cuir qui constitue le bras du fauteuil. Franck a une figure lasse; le sourire n'y est pas reparu depuis la grimace de tout à l'heure. Son corps semble s'être tassé au fond du siège.

«Pas de chance, peut-être, mais ce n'est pas un drame», reprend A . . . d'un ton insouciant, qui contraste avec celui de son compagnon. «Si nous avions eu le moyen de prévenir, le retard n'avait même aucune importance; seulement, avec ces plantations perdues dans la brousse, que pouvait-on faire? De toute façon, ça vaut mieux que de s'être trouvé en panne au milieu de la route, en pleine nuit!»

Cela vaut mieux, aussi, qu'un accident. Il ne s'agit que d'un aléa sans conséquence, une aventure sans gravité, un des menus inconvénients de la vie aux colonies.

«Je crois que je vais rentrer», dit Franck.

Il s'est juste arrêté en passant, pour déposer A . . . Il ne veut pas s'attarder davantage. Christiane doit se demander ce qu'il devient et Franck a grand hâte de la rassurer. Il se lève en effet de son fauteuil, avec une vigueur soudaine, et pose sur la table basse le verre qu'il vient de finir d'un trait.

«Au revoir, dit A . . . sans quitter son propre siège, et merci à vous.»

Franck ébauche un mouvement du bras, signe convenu de protestation. A . . . insiste:

«Mais si! Voilà deux jours que je vous encombre.

– Au contraire, je suis désolé de vous avoir imposé une nuit dans ce piètre hôtel.»*

Il a fait deux pas, il s'arrête avant de s'engager dans le couloir qui traverse la maison, il se retourne à demi: «Excusez-moi, encore,

37

d'être un si mauvais mécanicien.» La même grimace, mais plus rapide, passe sur ses lèvres. Il disparaît vers l'intérieur.

Ses pas résonnent sur les carreaux du couloir. Il avait aujourd'hui des souliers à semelles de cuir, avec son complet blanc, défraîchi par le voyage.

Lorsque la porte d'entrée, à l'autre bout de la maison, s'est ouverte puis refermée, A . . . se lève à son tour et quitte la terrasse par la même issue. Mais elle pénètre aussitôt dans la chambre, dont elle clôt la porte au verrou derrière soi, en faisant claquer le pêne. Dans la cour, devant la façade nord, le bruit d'un moteur que l'on met en route est vite suivi par la plainte aiguë d'un démarrage trop prompt. Franck n'a pas dit le genre de réparation dont avait eu besoin sa voiture.

A . . . ferme les fenêtres de la chambre qui sont restées grandes ouvertes toute la matinée, elle baisse l'une après l'autre les jalousies. Elle va se changer; et prendre une douche, sans doute, après le long chemin qu'elle vient de parcourir.

La salle de bains communique directement avec la chambre. Une seconde porte donne sur le couloir; le verrou en est possé de l'intérieur, d'un geste vif qui fait claquer le pêne.

La pièce suivante, toujours du même côté du couloir, est une chambre, beaucoup plus petite, qui contient un lit à une seule personne. Deux mètres plus loin, le couloir débouche dans la salle à manger.

La table est mise pour une seule personne. Il va falloir faire ajouter le couvert de A . . .

Sur le mur nu, la trace du mille-pattes écrasé est encore parfaitement visible. Rien n'a dû être tenté pour éclaircir la tache, de peur d'abîmer la belle peinture mate, non lavable, probablement.

La table est mise pour trois personnes,* selon la disposition coutumière . . . Franck et A . . . , assis chacun à sa place, parlent du voyage en ville qu'ils ont l'intention de faire ensemble, dans le courant de la semaine suivante, elle pour diverses courses, lui pour se renseigner au sujet du nouveau camion qu'il a projeté d'acquérir.

Ils ont déjà fixé l'heure du départ ainsi que celle du retour, supputé la durée approximative des trajets, calculé le temps dont ils disposeront pour leurs affaires, compte tenu du déjeuner et du dîner. Ils n'ont pas précisé s'ils prendraient ceux-ci chacun de son côté, ou s'ils se retrouveraient pour les prendre ensemble. Mais la question se pose à peine, puisqu'un seul restaurant offre des repas convenables aux clients de passage. Il est donc naturel qu'ils s'y retrouvent, surtout le soir, car ils doivent se mettre en route aussitôt après.

Il est naturel, également, que A . . . veuille profiter de l'occasion présente pour se rendre en ville, qu'elle préfère cette solution à celle du camion chargé de bananes, quasi impraticable sur un aussi long parcours, qu'elle préfère, en outre, la compagnie de Franck à celle d'un quelconque chauffeur indigène, si grandes soient les qualités de mécanicien prêtées par elle-même à ce dernier. Quant aux autres circonstances qui lui permettent de faire la route dans des conditions acceptables, elles sont sans conteste assez peu fréquentes, exceptionnelles même, sinon inexistantes, à moins que des raisons sérieuses ne viennent justifier de sa part une exigence catégorique, ce qui dérange toujours plus ou moins la bonne marche de la plantation.

Elle n'a rien demandé, pour cette fois, ni indiqué la nature exacte des achats qui motivaient son déplacement. Il n'y avait aucune raison spéciale à fournir, du moment qu'une voiture amie se présentait qui la prendrait à domicile et l'y ramènerait le soir même. Le plus étonnant, à la réflexion, est qu'un arrangement semblable ne se soit pas produit déjà, auparavant, un jour ou l'autre.

Franck mange sans parler depuis quelques minutes. C'est A . . . , dont l'assiette est vide, la fourchette et le couteau posés dessus côte à côte, qui reprend la conversation, demandant des nouvelles de Christiane, que la fatigue (due à la chaleur, croit-elle) a empêchée à plusieurs reprises de venir avec son mari, ces derniers temps.

«Toujours la même chose, répond Franck. Je lui ai proposé de descendre au port avec nous, pour se changer les idées. Mais elle n'a pas voulu, à cause de l'enfant.

– Sans compter, dit A . . . , qu'il fait nettement plus chaud sur la côte.

– Plus lourd, oui», acquiesce Franck.

Cinq ou six phrases sont alors échangées sur les doses respectives de quinine nécessaires en bas et ici. Puis Franck revient aux effets fâcheux que produit la quinine sur l'héroïne du roman africain qu'ils sont en train de lire. La conversation se trouve amenée ainsi aux péripéties centrales de l'histoire en question.

De l'autre côté de la fenêtre fermée,★ dans la cour poussiéreuse dont l'empierrement inégal laisse affleurer des zones de cailloux,★ la camionnette a son capot tourné vers la maison. A ce détail près, elle stationne exactement à l'endroit prescrit: c'est-à-dire qu'elle vient s'encadrer dans les vitres inférieure et moyenne du battant droit, contre le montant interne, le petit bois de la croisée découpant horizontalement sa silhouette en deux masses d'importance égale.

Par la porte ouverte de l'office, A... pénètre dans la salle à manger, se dirigeant vers la table servie. Elle a fait le tour par la terrasse, afin de parler en passant au cuisinier, dont la voix chantante et volubile a retenti, il n'y a qu'un instant.

A... s'est entièrement changée après avoir pris sa douche. Elle a mis la robe claire, de coupe très collante, que Christiane estime ne pas convenir au climat tropical. Elle va s'asseoir à sa place, le dos à la fenêtre, devant un couvert intact, que le boy a rajouté pour elle. Elle déplie sa serviette sur ses genoux et commence à se servir, en soulevant de la main gauche le couvercle du plat encore chaud, entamé durant son séjour dans la salle de bains, mais demeuré au milieu de la table.

Elle dit:

«Ça m'a donné faim, la route.»

Elle s'enquiert ensuite des événements éventuels survenus à la plantation pendant son absence. La formule qu'elle emploie (ce qu'il y a «de neuf») est prononcée d'un ton léger, dont l'animation ne simule aucune attention particulière. Il n'y a d'ailleurs rien de neuf.

A... cependant semble avoir une envie de parler inusitée. Elle a l'impression – dit-elle – qu'il devrait s'être passé beaucoup de choses pendant ce laps de temps, qui, de son propre côté, s'est trouvé si bien rempli.

Sur la plantation aussi, ce temps a été bien employé; mais il ne s'est agi que de la suite prévisible des travaux en cours, qui sont toujours identiques, à peu de chose près.

Elle-même, interrogée sur les nouvelles qu'elle rapporte, se limite à quatre ou cinq informations connues déjà: la piste est toujours en réparation sur une dizaine de kilomètres après le premier village, le «Cap Saint-Jean» était amarré le long du wharf en attendant son chargement, les travaux de la nouvelle poste n'ont guère avancé depuis plus de trois mois, le service de voirie municipal laisse toujours à désirer, etc. . . .

Elle se sert à nouveau. Il vaudrait mieux rentrer la camionnette sous le hangar, à l'ombre, puisque personne ne doit l'utiliser au début de l'après-midi. Le verre grossier de la vitre entame la carrosserie, à la base, derrière la roue avant, d'une large échancrure arrondie. Bien au-dessous, isolé de la masse principale par une zone de terre caillouteuse, un demi-disque en tôle peinte est réfracté à plus de cinquante centimètres de son emplacement réel. Ce morceau aberrant peut du reste se déplacer à volonté, changer de forme en même temps que de dimensions: il grandit de droite à gauche, s'amenuise dans le sens inverse, devient croissant vers le bas, cercle complet lorsqu'il prend de la hauteur, ou bien se frange (mais c'est là une position de très faible étendue, presque instantanée) de deux auréoles concentriques. Enfin, pour de plus grands écarts, il se fond dans la surface mère, ou disparaît, d'une contraction brusque.

A . . . veut essayer encore quelques paroles. Elle ne décrit pas néanmoins la chambre où elle a passé la nuit, sujet peu intéressant, dit-elle en détournant la tête: tout le monde connaît cet hôtel, son inconfort et ses moustiquaires rapiécées.

C'est à ce moment qu'elle aperçoit la scutigère,* sur la cloison nue en face d'elle. D'une voix contenue, comme pour ne pas effrayer la bête, elle dit:

«Un mille-pattes!»

Franck relève les yeux. Se réglant ensuite sur la direction indiquée par ceux – devenus fixes – de sa compagne, il tourne la tête de l'autre côté.

La bestiole est immobile au milieu du panneau, bien visible sur la peinture claire malgré la douceur de l'éclairage. Franck, qui n'a rien dit, regarde A . . . de nouveau. Puis il se met debout, sans un bruit. A . . . ne bouge pas plus que la scutigère, tandis qu'il s'approche du mur, la serviette roulée en boule dans la main.

La main aux doigts effilés s'est crispée sur la nappe blanche.

Franck écarte la serviette du mur et, avec son pied, achève d'écraser quelque chose sur le carrelage, contre la plinthe. Et il revient s'asseoir à sa place, à droite de la lampe qui brille derrière lui, sur le buffet.

Quand il est passé devant la lampe, son ombre a balayé la surface de la table, qu'elle a recouverte un instant tout entière. Le boy fait alors son entrée, par la porte ouverte; il se met à desservir en silence. A . . . lui demande, comme d'habitude, de servir le café sur la terrasse.

Elle et Franck, assis dans leurs deux fauteuils, y continuent de discuter, à bâtons rompus, du jour qui conviendrait le mieux à ce petit voyage en ville qu'ils ont projeté depuis la veille.

Le sujet bientôt s'épuise. Son intérêt ne décline pas, mais ils ne trouvent plus aucun élément nouveau pour l'alimenter. Les phrases deviennent plus courtes et se contentent de répéter, pour la plupart, des fragments de celles prononcées au cours de ces deux derniers jours, ou antérieurement encore.

Après d'ultimes monosyllabes, séparés par des noirs de plus en plus longs et finissant par n'être plus intelligibles, ils se laissent gagner tout à fait par la nuit.

Formes vagues, signalées seulement par l'obscurité moins dense d'une robe ou d'une chemise pales, ils sont assis tous les deux côte à côte, le buste incliné en arrière contre le dossier du fauteuil, les bras allongés sur les accoudoirs aux alentours desquels ils effectuent de temps à autre des déplacements incertains, de faible amplitude, à peine ébauchés que déjà revenus de leur écart, ou bien, peut-être, imaginaires.

Les criquets se sont tus, eux aussi.*

On n'entend plus, çà et là, que le cri menu de quelque carnassier nocturne, le vrombissement subit d'un scarabée, le choc d'une petite tasse en porcelaine que l'on repose sur la table basse.

Maintenant, c'est la voix du second chauffeur qui arrive jusqu'à cette partie centrale de la terrasse, venant du côté des hangars; elle chante un air indigène, aux paroles incompréhensibles, ou même sans paroles.

Les hangars sont situés de l'autre côté de la maison, à droite de la grande cour. La voix doit ainsi contourner, sous le toit débordant, tout l'angle occupé par le bureau, ce qui l'affaiblit de façon notable, bien qu'une partie du son puisse traverser la pièce elle-même en passant par les jalousies (sur la façade sud et le pignon à l'est).

Mais c'est une voix qui porte bien. Elle est pleine et forte, quoique dans un registre assez bas. Elle est facile en outre, coulant avec souplesse d'une note à l'autre, puis s'arrêtant soudain.

A cause du caractère particulier de ce genre de mélodies, il est difficile de déterminer si le chant s'est interrompu pour une raison fortuite – en relation, par exemple, avec le travail manuel que doit exécuter en même temps le chanteur – ou bien si l'air trouvait là sa fin naturelle.

De même, lorsqu'il recommence, c'est aussi subit, aussi abrupt, sur des notes qui ne paraissent guère constituer un début, ni une reprise.

A d'autres endroits, en revanche, quelque chose semble en train de se terminer ; tout l'indique : une retombée progressive, le calme retrouvé, le sentiment que plus rien ne reste à dire ; mais après la note qui devait être la dernière en vient une suivante, sans la moindre solution de continuité, avec la même aisance, puis une autre, et d'autres à la suite, et l'auditeur se croit transporté en plein cœur du poème ... quand, là, tout s'arrête, sans avoir prévenu.

A ..., dans la chambre,* rabaisse le visage sur la lettre qu'elle est en train d'écrire. La feuille de papier bleu pâle, devant elle, ne porte encore que quelques lignes ; A ... y rajoute trois ou quatre mots, assez vite, et demeure la plume en l'air. Au bout d'une minute elle relève la tête, tandis que le chant reprend, du côté des hangars.

Sans doute est-ce toujours le même poème qui se continue. Si parfois les thèmes s'estompent,* c'est pour revenir un peu plus tard, affermis, à peu de chose près identiques. Cependant ces répétitions, ces infimes variantes, ces coupures, ces retours en arrière, peuvent donner lieu à des modifications – bien qu'à peine sensibles – entraînant à la longue fort loin du point de départ.

A . . ., pour mieux écouter, a tourné la tête vers la fenêtre ouverte, à côté d'elle. Dans le fond du vallon,* des manœuvres sont en train de réparer le pont de rondins qui franchit la petite rivière. Ils ont enlevé le revêtement de terre sur un quart environ de la largeur. Ils s'apprêtent à remplacer les bois envahis de termites par des troncs neufs, non écorcés, rectilignes, coupés d'avance à la bonne longueur, qui gisent en travers du chemin d'accès, juste avant le pont. Au lieu de les aligner en bon ordre, les porteurs les ont jetés là au hasard, dans tous les sens.

Les deux premiers bois se sont placés parallèlement l'un à l'autre (et à la rive), l'espace entre eux équivalant au double environ de leur diamètre commun. Un troisième les coupe en biais vers le tiers de leur longueur. Le suivant, perpendiculaire à celui-ci, bute contre son extrémité; il rejoint presque, à l'autre bout, le dernier qui forme avec lui un V très lâche, dont la pointe bâille largement. Mais ce cinquième rondin est encore parallèle aux deux premiers, ainsi qu'à la direction du ruisseau sur lequel est bâti le petit pont.

Combien de temps s'est-il écoulé depuis la dernière fois qu'il a fallu en réparer le tablier? Les bois, traités en principe contre l'action des termites, avaient dû subir une préparation défectueuse. Tôt ou tard, il est vrai, ces troncs recouverts de terre, soumis périodiquement aux petites crues du cours d'eau, sont destinés à être la proie des insectes. Il n'est possible de protéger efficacement, pour une longue durée, que des constructions aériennes bien isolées du sol, comme c'est le cas, par exemple, pour la maison.

A . . ., dans la chambre, a continué sa lettre, de son écriture fine, serrée, régulière. La page est maintenant à moitié pleine. Mais la tête aux souples boucles noires se redresse lentement et commence à pivoter, lentement mais sans à-coup,* vers la fenêtre ouverte.

Les ouvriers du pont sont au nombre de cinq, comme les troncs de rechange. Ils sont en ce moment tous accroupis dans la même position: les avant-bras appuyés sur les cuisses, les deux mains pendant entre les genoux écartés. Ils sont disposés face à face, deux sur la rive droite, trois sur la rive gauche. Ils discutent sans doute de la façon dont ils vont s'y prendre pour accomplir l'opération, ou bien se reposent un peu avant l'effort, fatigués d'avoir porté les troncs jusque-là. Ils sont en tout cas parfaitement immobiles.

Dans la bananeraie, derrière eux, une pièce en forme de trapèze s'étend vers l'amont, dans laquelle, aucun régime n'ayant encore été récolté depuis la plantation des souches, la régularité des quinconces est encore absolue.

Les cinq hommes, de part et d'autre du petit pont, sont aussi rangés de façon symétrique: sur deux lignes parallèles, les intervalles étant égaux dans l'un et l'autre groupe, et les deux personnages de la rive droite – dont seul le dos est visible – se plaçant sur les médiatrices des segments déterminés par leurs trois compagnons de la rive gauche, qui eux regardent vers la maison, où A . . . se dresse derrière l'embrasure béante de la fenêtre.

Elle est debout. Elle tient à la main une feuille d'un bleu très pâle, du format ordinaire des papiers à lettres, qui porte la trace bien marquée d'un pliage en quatre. Mais le bras est à demi détendu et la feuille de papier n'arrive qu'à la hauteur de la taille; le regard, qui passe bien au-dessus, erre sur la ligne d'horizon, tout en haut du versant opposé. A . . . écoute le chant indigène, lointain mais net encore, qui parvient jusqu'à la terrasse.

De l'autre côté de la porte du couloir,★ sous la fenêtre symétrique, une de celles du bureau, Franck est assis dans son fauteuil.

A . . . , qui est allée chercher elle-même les boissons, dépose le plateau chargé sur la table basse. Elle débouche le cognac et en verse dans les trois verres alignés. Elle les emplit ensuite avec l'eau gazeuse. Ayant distribué les deux premiers, elle va s'asseoir à son tour dans le fauteuil vide, tenant le troisième en main.

C'est alors qu'elle demande si les habituels cubes de glace seront nécessaires, prétextant que ces bouteilles sortent du réfrigérateur, une seule des deux pourtant s'étant couverte de buée au contact de l'air.

Elle appelle le boy. Personne ne répond.

«Un de nous ferait mieux d'y aller», dit-elle.

Mais ni elle ni Franck ne bouge de son siège.

Dans l'office, le boy est en train déjà d'extraire les cubes de glace de leurs cases, selon les instructions reçues de sa maîtresse, assuret-il. Et il ajoute qu'il va les apporter tout de suite, au lieu de préciser le moment où cet ordre lui a été donné.

Sur la terrasse, Franck et A . . . sont demeurés dans leurs fauteuils. Elle ne s'est pas pressée de servir la glace: elle n'a pas encore touché au seau de métal poli que le boy vient de déposer près d'elle et dont une buée légère ternit déjà l'éclat.

Comme sa voisine, Franck regarde droit devant soi, vers la ligne d'horizon, tout en haut du versant opposé. Une feuille de papier* d'un bleu très pâle, pliée plusieurs fois sur elle-même – en huit probablement – déborde à présent hors de la pochette droite de sa chemise. La poche gauche est encore soigneusement boutonnée, tandis que la patte de l'autre est maintenue relevée par la lettre, qui dépasse d'un bon centimètre le bord de toile kaki.

A . . . voit le papier bleu pâle qui attire les regards. Elle entreprend de donner des explications au sujet d'un malentendu survenu entre elle et le boy à propos de la glace. Lui aurait-elle donc dit de ne pas l'apporter? C'est la première fois, de toute manière, qu'elle ne se serait pas fait comprendre par un de ses domestiques.

«Il faut un commencement à tout»,* répond-elle avec un sourire tranquille. Ses yeux verts, qui ne cillent jamais, reflètent seulement la découpure d'une silhouette sur le ciel.

Tout en bas,* dans le fond de la vallée, la disposition des personnages n'est plus la même, de part et d'autre du pont en rondins. Il ne reste qu'un seul des ouvriers sur la rive droite, les quatre autres étant alignés en face de lui. Mais leur posture, à aucun d'eux, n'a changé. Derrière l'isolé, un des bois neufs a disparu: celui qui en chevauchait deux autres. Un tronc à l'écorce terreuse, en revanche, a fait son apparition sur la rive gauche, nettement en arrière des quatre ouvriers qui regardent vers la maison.

Franck se lève de son fauteuil, avec une vigueur soudaine, et pose sur la table basse le verre qu'il vient de finir d'un trait. Il n'y a plus trace du cube de glace dans le fond. Franck s'est avancé, d'un pas raide, jusqu'à la porte du couloir. Il s'y arrête. La tête et le buste pivotent en direction de A . . . , restée assise.

«Excusez-moi, encore, d'être un si mauvais mécanicien.»

Mais A . . . n'a pas le visage tourné de ce côté-là, et le rictus qui

46

accompagnait les paroles de Franck est demeuré très à l'écart de son champ visuel, rictus absorbé tout aussitôt d'ailleurs, en même temps que le complet blanc à l'éclat terni, par la pénombre du couloir.

Au fond du verre qu'il a déposé sur la table en partant, achève de fondre un petit morceau de glace, arrondi d'un côté, présentant de l'autre une arête en biseau. Un peu plus loin se succèdent la bouteille d'eau gazeuse, le cognac, puis le pont qui franchit la petite rivière, où les cinq hommes accroupis sont maintenant disposés de la façon suivante: un sur la rive droite, deux sur la rive gauche, deux autres sur le tablier lui-même, près de son bord aval; tous sont orientés vers le même point central qu'ils paraissent considérer avec la plus grande attention.

Il ne reste plus que deux bois neufs à placer.

Puis Franck et son hôtesse sont assis dans les deux mêmes fauteuils, mais ils ont échangé leurs places: A . . . est dans le fauteuil de Franck et vice-versa. C'est donc Franck qui se trouve à proximité de la table basse où sont le seau à glace et les bouteilles.

Elle appelle le boy.

Il apparaît aussitôt sur las terrasse, à l'angle de la maison. Il se dirige d'une allure mécanique vers la petite table, s'empare de celle-ci et, la soulevant du sol sans rien renverser de ce qu'elle supporte, dépose le tout un peu plus loin, à proximité de sa maîtresse. Il continue ensuite son chemin, sans dire un mot, dans le même sens, du même pas d'automate, vers l'autre angle de la maison et la branche est de la terrasse, où il disparaît.

Franck et A . . . , toujours muets et immobiles au fond de leurs fauteuils, continuent de fixer l'horizon.

Franck raconte son histoire de voiture en panne, riant et faisant des gestes avec une énergie et un entrain démesurés. Il saisit son verre, sur la table, à côté de lui, et le vide d'un trait, comme s'il n'avait pas besoin de déglutir pour avaler le liquide: tout a coulé d'un seul coup dans sa gorge. Il repose le verre sur la table, entre son assiette et le dessous-de-plat. Il se remet immédiatement à manger. Son appétit considérable est rendu plus spectaculaire encore par les mouvements nombreux et très accusés qu'il met en jeu: la main droite qui saisit à tour de rôle le couteau, la fourchette et le pain, la fourchette qui passe alternativement de la main droite à la main gauche, le couteau qui découpe les bouchées de viande une à une et qui regagne la table après chaque intervention, pour laisser la scène au jeu de la fourchette changeant de main, les allées et venues de la fourchette entre l'assiette et la bouche, les déformations rythmées de tous les muscles du visage pendant une mastication consciencieuse, qui, avant même d'être terminée, s'accompagne déjà d'une reprise accélérée de l'ensemble:

La main droite saisit le pain et le porte à la bouche, la main droite repose le pain sur la nappe blanche et saisit le couteau, la main gauche saisit la fourchette, la fourchette pique la viande, le couteau coupe un morceau de viande, la main droite pose le couteau sur la nappe, la main gauche met la fourchette dans la main droite, qui pique le morceau de viande, qui s'approche de la bouche, qui se met à mastiquer avec des mouvements de contraction et d'extension qui se répercutent dans tout le visage, jusqu'aux pommettes, aux yeux, aux oreilles, tandis que la main droite reprend la fourchette pour la passer dans la main gauche, puis saisit le pain, puis le couteau, puis la fourchette ...

Le boy fait son entrée, par la porte ouverte de l'office. Il s'approche de la table. Son pas est de plus en plus saccadé; ses gestes de même, lorsqu'il enlève les assiettes, une à une, pour les poser sur le buffet, et les remplacer par des assiettes propres. Il sort aussitôt après, remuant bras et jambes en cadence, comme une mécanique au réglage grossier.

C'est à ce moment que se produit la scène de l'écrasement du mille-pattes sur le mur nu: Franck qui se dresse, prend sa serviette, s'approche du mur, écrase le mille-pattes sur le mur, écarte la serviette, écrase le mille-pattes sur le sol.

La main aux phalanges effilées s'est crispée sur la toile blanche. Les cinq doigts écartés se sont refermés sur eux-mêmes, en appuyant avec tant de force qu'ils ont entraîné la toile avec eux. Celle-ci demeure plissée des cinq faisceaux de sillons convergents, beaucoup plus longs, auxquels les doigts ont fait place.

Seule la première phalange en est encore visible. A l'annulaire brille une bague, un mince ruban d'or qui fait à peine saillie sur les chairs. Tout autour de la main se déploie le rayonnement des plis, de plus en plus lâches à mesure qu'ils s'éloignent du centre, de plus en plus aplatis, mais aussi de plus en plus étendus, devenant à la fin une surface blanche uniforme, où vient à son tour se poser la main de Franck, brune, robuste, ornée d'un anneau d'or large et plat, d'un modèle analogue.

Juste à côté, la lame du couteau a laissé sur la nappe une petite tache sombre, allongée, sinueuse, entourée de signes plus ténus. La main brune, après avoir erré un instant aux alentours, remonte soudain jusqu'à la pochette de la chemise, où elle tente à nouveau, d'un mouvement machinal, de faire entrer plus à fond la lettre bleu pâle, pliée en huit, qui dépasse d'un bon centimètre.

La chemise est en étoffe raide, un coton sergé dont la couleur kaki a passé légèrement par suite des nombreux lavages. Sous le bord supérieur de la poche court une première piqûre horizontale, doublée par une seconde en forme d'accolade dont la pointe se dirige vers le bas. A l'extrémité de cette pointe est cousu le bouton destiné à clore la poche en temps normal. C'est un bouton en matière plastique jaunâtre; le fil qui le fixe dessine en son centre une petite croix. La lettre, au-dessus, est couverte d'une écriture fine et serrée, perpendiculaire au bord de la poche.

A droite, viennent, dans l'ordre, la manche courte de la chemise kaki, la cruche indigène ventrue, en terre cuite, qui marque le milieu du buffet, puis, posées au bout de celui-ci, les deux lampes à gaz d'essence, éteintes, rangées côte à côte contre le mur; plus à droite encore l'angle de la pièce, suivi de près par le battant ouvert de la première fenêtre.

Et la voiture de Franck entre en scène, amenée dans la vitre avec naturel par la conversation.* C'est une grosse conduite-intérieure bleue, de fabrication américaine, dont la carrosserie – quoique poussiéreuse – semble neuve. Le moteur également est en très bon état: jamais il ne cause d'ennuis à son propriétaire.

Ce dernier n'a pas quitté le volant. Seule sa passagère est descendue sur le sol caillouteux de la cour. Elle porte des chaussures fines à très hauts talons et doit prendre garde à ne poser les pieds qu'aux endroits les moins inégaux. Mais elle n'est pas du tout gênée par cet exercice, dont elle n'a même pas remarqué la difficulté, dirait-on. Elle s'est immobilisée contre la portière avant et se penche vers les coussins de molesquine grise, par-dessus la vitre baissée au maximum.

La robe blanche à large jupe disparaît presque jusqu'à la taille. La tête, les bras et le haut du buste, qui s'engagent dans l'ouverture, empêchent en même temps de voir ce qui se passe à l'intérieur. A . . . sans doute est en train de rassembler les emplettes qu'elle vient de faire, pour les emporter avec soi. Mais le coude gauche reparaît, suivi bientôt par l'avant-bras, le poignet, la main, qui se retient au bord du cadre.

Après un nouveau temps d'arrêt, les épaules émergent à leur tour en pleine lumière, puis le cou, et la tête avec sa lourde chevelure noire dont la coiffure trop mouvante est un peu défaite, la main droite enfin qui tient seulement, par sa ficelle, un très petit paquet vert de forme cubique.

Laissant imprimée dans la poussière, sur l'émail du montant, l'empreinte de quatre doigts parallèles, la main gauche s'empresse d'arranger l'ordonnance des cheveux, tandis que A . . . s'écarte de la voiture bleue et, après un dernier regard en arrière, se dirige de son pas décidé vers la porte de la maison. La surface raboteuse de la cour a l'air de s'être aplanie devant elle, car A . . . ne jette même pas un coup d'œil à ses pieds.

Ensuite elle se dresse contre le battant de la porte d'entrée qu'elle a refermé derrière soi. Depuis ce point elle aperçoit toute la maison en enfilade:* la pièce principale (salon sur la gauche et salle à manger sur la droite, où le couvert est déjà mis pour le dîner), le couloir central (sur lequel donnent les cinq portes latérales, toutes closes, trois à droite et deux à gauche), la terrasse et, au delà de sa balustrade à jours, le versant opposé du vallon.

A partir de la crête la pente se divise en trois, dans le sens de la hauteur: une bande irrégulière de brousse inculte et deux parcelles plantées, d'âges différents. La brousse est de couleur roussâtre, semée de place en place par des arbustes verts. Un bouquet d'arbres plus important marque le point le plus élevé atteint par la culture dans ce secteur; il occupe l'angle d'une pièce rectangulaire, oblique par rapport aux courbes de niveau, où le sol nu se distingue encore par endroit entre les jeunes panaches de feuilles. Plus bas, la seconde parcelle, qui a la forme d'un trapèze, est en cours de récolte: les disques blancs larges comme des assiettes, laissés au ras du sol par les troncs abattus, sont en nombre à peu près égal à celui des bananiers adultes encore debout.

La limite aval de ce trapèze est soulignée par la présence du chemin d'accès qui aboutit au petit pont sur le ruisseau. Les cinq hommes y sont maintenant ordonnés en quinconce, deux sur chaque berge et un au milieu, accroupi, tourné vers l'amont, regardant l'eau boueuse qui arrive dans sa direction entre deux parois de terre verticales, plus ou moins effondrées çà et là.

Sur la rive droite il reste toujours deux troncs neufs à placer. Ils forment entre eux une sorte de V très lâche à pointe ouverte, en travers du chemin qui remonte vers le jardin et la maison.

A...y rentre à l'instant.* Elle était allée faire une visite à Christiane, empêchée elle-même de sortir depuis plusieurs jours par la mauvaise santé de l'enfant, aussi délicat que sa mère, également inadapté à la vie coloniale. A..., que Franck a reconduite en voiture jusqu'à sa porte, traverse la salle de séjour et longe le couloir pour atteindre la chambre qui donne sur la terrasse.

Les fenêtres en sont restées grandes ouvertes toute la matinée. A...s'approche de la première et en clôt le battant droit; tandis que la main posée sur le gauche interrompt son geste. Le visage se tend de profil dans la demi-embrasure, le cou dressé, l'oreille à l'écoute.

La voix grave du second chauffeur arrive jusqu'à elle.

L'homme chante un air indigène, une très longue phrase sans paroles qui semble ne devoir jamais finir, bien qu'elle s'arrête tout à coup, sans raison plausible. A..., terminant son geste, pousse le second battant.

Elle ferme ensuite les deux autres fenêtres. Mais elle ne baisse aucune des jalousies.

Elle s'assied devant la table-coiffeuse et se contemple dans le miroir ovale, immobile, les coudes posés sur le marbre et les deux mains appliquées de chaque côté du visage, contre les tempes. Pas un de ses traits ne bouge, ni les paupières aux longs cils, ni même les prunelles, au centre de l'iris vert. Ainsi figée par son propre regard, attentive et sereine, elle paraît ne pas sentir le temps passer.

Penchée sur le côté, le peigne d'écaille à la main, elle refait sa coiffure avant de venir à table. Une partie des lourdes boucles noires pend sur la nuque. La main libre y plonge ses doigts effilés.

A... est allongée sur le lit, tout habillée. Une de ses jambes repose sur la couverture de satin; l'autre, fléchie au genou, pend à demi sur le bord. Le bras, de ce côté, se replie vers la tête, qui creuse le traversin. Etendu en travers du lit très large, l'autre bras s'écarte du corps d'environ quarante-cinq degrés. La figure est tournée vers le plafond. Les yeux sont encore agrandis par la pénombre.

Près du lit, contre la même cloison, se trouve la grosse commode. A... est debout, devant le tiroir supérieur entrouvert, sur lequel elle s'incline pour chercher quelque chose, ou bien pour en ranger le contenu. L'opération est longue et ne nécessite aucun déplacement du corps.

Elle est assise dans le fauteuil, entre la porte du couloir et la table à écrire. Elle relit une lettre qui conserve les sillons très apparents d'un pliage en huit. Les longues jambes sont croisées l'une sur l'autre. La main droite tient la feuille en l'air devant le visage; la gauche enserre l'extrémité de l'accoudoir.

A... est en train d'écrire, assise à la table près de la première fenêtre. Elle s'apprête à écrire, plutôt, à moins qu'elle ne vienne de terminer sa lettre. La plume est demeurée suspendue à quelques centimètres au-dessus du papier. Le visage est relevé en direction du calendrier fixé au mur.

Entre cette première fenêtre et la seconde, il y a juste la place pour la grande armoire. A..., qui se tient tout contre, n'est donc visible que de la troisième fenêtre, celle qui donne sur le pignon ouest. C'est une armoire à glace. A... met toute son attention à s'y regarder le visage de très près.

Elle s'est maintenant réfugiée, encore plus sur la droite, dans l'angle de la pièce, qui constitue aussi l'angle sud-ouest de la maison. Il serait facile de l'observer par l'une des deux portes, celle du couloir central ou celle de la salle de bains; mais les portes sont en bois plein, sans système de jalousies qui laisse voir au travers. Quant aux jalousies des trois fenêtres, aucune d'elles ne permet plus maintenant de rien apercevoir.

Maintenant la maison est vide.*

A... est descendue en ville avec Franck, pour faire quelques achats urgents. Elle n'a pas précisé lesquels.

Ils sont partis de très bonne heure, afin de disposer du temps nécessaire pour leurs courses et de pouvoir cependant revenir le soir même à la plantation.

Ayant quitté la maison à six heures et demie du matin, ils comptent être de retour peu après minuit, ce qui représente dix-huit heures d'absence, dont huit heures de route au minimum, si tout marche bien.

Mais des retards sont toujours à redouter avec ces mauvaises pistes. Même s'ils se mettent en route à l'heure prévue, aussitôt après un dîner rapide, les voyageurs peuvent très bien n'être rentrés que vers une heure du matin, ou même sensiblement plus tard.

En attendant, la maison est vide. Toutes les fenêtres de la chambre sont ouvertes, ainsi que ses deux portes, sur le couloir et la salle de bains. Entre la salle de bains et le couloir, la porte est aussi ouverte en grand, comme celle donnant accès depuis le couloir sur la partie centrale de la terrasse.

La terrasse est vide également; aucun des fauteuils de repos n'a été porté dehors ce matin, non plus que la table basse qui sert pour l'apéritif et le café. Mais, sous la fenêtre ouverte du bureau, les dalles gardent la trace des huit pieds de fauteuils: deux fois quatre points luisants, plus lisses qu'alentour, disposés en carrés. Les deux coins gauches du carré droit sont à dix centimètres à peine des deux coins droits du carré gauche.

Ces points brillants ne sont nettement visibles que depuis la balustrade. Ils s'estompent quand l'observateur veut s'approcher. A la verticale, par la fenêtre qui se trouve juste au-dessus, il devient même impossible de situer leur emplacement.

Le mobilier de cette pièce est très simple, des classeurs et rayonnages contre les parois, deux chaises, le massif bureau à tiroirs. Sur le coin de celui-ci se dresse un petit cadre incrusté de nacre, contenant une photographie prise au bord de la mer, en Europe. A... est assise à la terrasse d'un grand café. Sa chaise est placée de biais par rapport à la table où elle s'apprête à reposer son verre.

La table est un disque de métal percé de trous innombrables, dont les plus gros dessinent une rosace compliquée: des S partant tous du centre, comme les rayons deux fois cintrés d'une roue, et s'enroulant chacun sur soi-même en spirale à l'autre bout, sur la périphérie du disque.

Le pied qui le supporte est constitué par une triple tige grêle dont les branches s'écartent pour converger ensuite à nouveau, par un changement de la concavité, et s'enroulent à leur tour (dans les trois plans verticaux passant par l'axe du système) en trois volutes semblables, qui reposent sur le sol par leur spire inférieure et sont accolées ensemble au moyen d'un anneau, un peu plus haut sur cette même courbe.

La chaise est construite, de même, avec des plaques perforées et des tiges de métal. Il est plus difficile d'en suivre les circonvolutions, à cause de la personne assise dessus, qui les masque en grande partie.

Posée sur la table à proximité d'un second verre, près du bord droit de l'image, une main d'homme se raccorde seulement au poignet d'une manche de veste, qu'interrompt aussitôt la marge blanche verticale.

Tous les autres fragments de chaises, discernables sur la photographie, paraissent appartenir à des sièges inoccupés. Il n'y a personne sur cette terrasse, comme dans tout le reste de la maison.

Dans la salle à manger, un seul couvert a été disposé sur la table, pour le déjeuner, du côté qui fait face à la porte de l'office et au buffet, long et bas, qui va de cette porte à la fenêtre.

La fenêtre est fermée. La cour est vide. Le second chauffeur a dû mettre la camionnette près des hangars, pour la laver. Seule demeure, à la place qu'elle occupe d'ordinaire, une large tache noire contrastant avec la surface poussiéreuse de la cour. C'est un peu d'huile qui, goutte à goutte, a coulé du moteur, toujours au même endroit.

Il est aisé de faire disparaître cette tache, grâce aux défauts du verre très grossier qui garnit la fenêtre: il suffit d'amener, par tâtonnements successifs, la surface noircie en un point aveugle du carreau.

La tache commence par s'élargir, un des côtés se gonflant pour former une protubérance arrondie, plus grosse à elle seule que l'objet initial. Mais, quelques millimètres plus loin, ce ventre est transformé en une série de minces croissants concentriques, qui s'amenuisent pour n'être plus que des lignes, tandis que l'autre bord de la tache se rétracte en laissant derrière soi un appendice pédonculé. Celui-ci grossit à son tour, un instant; puis tout s'efface d'un seul coup.

Il n'y a plus, derrière la vitre, dans l'angle déterminé par le montant central et le petit bois, que la couleur beige-grisâtre de l'empierrement poussiéreux qui constitue le sol de la cour.

Sur le mur d'en face, le mille-pattes est là,* à son emplacement marqué, au beau milieu du panneau.

Il s'est arrêté, petit trait oblique long de dix centimètres, juste à la hauteur du regard, à mi-chemin entre l'arête de la plinthe (au seuil du couloir) et le coin du plafond. La bête est immobile. Seules ses antennes se couchent l'une après l'autre et se relèvent, dans un mouvement alterné, lent mais continu.

A son extrémité postérieure, le développement considérable des pattes – de la dernière paire, surtout, qui dépasse en longueur les antennes – fait reconnaître sans ambiguïté la scutigère, dite «mille-pattes-araignée», ou encore «mille-pattes-minute» à cause d'une croyance indigène concernant la rapidité d'action de sa piqûre, prétendue mortelle. Cette espèce est en réalité peu venimeuse; elle l'est beaucoup moins, en tout cas, que de nombreuses scolopendres fréquentes dans la région.

Soudain la partie antérieure du corps se met en marche,* exécutant une rotation sur place, qui incurve le trait sombre vers le bas du mur. Et aussitôt, sans avoir le temps d'aller plus loin, la bestiole choit sur le carrelage, se tordant encore à demi et crispant par degrés ses longues pattes, tandis que les mâchoires s'ouvrent et se ferment à toute vitesse autour de la bouche, à vide, dans un tremblement réflexe.

Dix secondes plus tard, tout cela n'est plus qu'une bouillie rousse, où se mêlent des débris d'articles, méconnaissables.

Mais sur le mur nu, au contraire, l'image de la scutigère écrasée se distingue parfaitement, inachevée mais sans bavure, reproduite avec la fidélité d'une planche anatomique où ne seraient figurés qu'une partie des éléments: une antenne, deux mandibules recourbées, la tête et le premier anneau, la moitié du second, quelques pattes de grande taille, etc. . . .

Le dessin semble indélébile. Il ne conserve aucun relief, aucune épaisseur de souillure séchée qui se détacherait sous l'ongle. Il se présente plutôt comme une encre brune imprégnant la couche superficielle de l'enduit.

Un lavage du mur, d'autre part, n'est guère praticable. Cette peinture mate ne le supporterait sans doute pas, car elle est beaucoup plus fragile que la peinture vernie ordinaire, à l'huile de lin, qui existait auparavant dans la pièce. La meilleure solution consiste donc à employer la gomme,* une gomme très dure à grain fin qui userait peu à peu la surface salie, la gomme pour machine à écrire, par exemple, qui se trouve dans le tiroir supérieur gauche du bureau.

Le tracé grêle des fragments de pattes ou d'antennes s'en va tout de suite, dès les premiers coups de gomme. La plus grande partie du corps, assex pâle déjà, courbée en un point d'interrogation devenant de plus en plus flou vers l'extrémité de la crosse, ne tarde guère à s'effacer aussi, totalement. Mais la tête et les premiers anneaux nécessitent un travail plus poussé: après avoir perdu très vite sa couleur, la forme qui persiste reste ensuite stationnaire durant un temps assez long. Les contours en sont seulement devenus un peu moins nets. La gomme dure qui passe et repasse au même point n'y change plus grand'chose, maintenant.

Une opération complémentaire s'impose: gratter, très légèrement, avec le coin d'une lame de rasoir mécanique. Des poussières blanches se détachent de la paroi. La précision de l'outil permet de limiter au plus juste la région soumise à son attaque. Un nouveau ponçage à la gomme termine ensuite l'ouvrage avec facilité.

La trace suspecte a disparu complètement. Il ne subsiste à sa place qu'une zone plus claire, aux bords estompés, sans dépression sensible, qui peut passer pour un défaut insignifiant de la surface, à la rigueur.

Le papier se trouve aminci néanmoins;* il est devenu plus translucide, inégal, un peu pelucheux. La même lame de rasoir, arquée entre deux doigts pour présenter le milieu de son tranchant, sert encore à couper au ras les barbes soulevées par la gomme. Le plat d'un ongle enfin lisse les dernières aspérités.

En pleine lumière, une inspection plus attentive de la feuille bleu pâle révèle que deux courtes fractions de jambages ont résisté à tout, correspondant sans doute à des pleins trop appuyés de l'écriture. Tant qu'un nouveau mot, adroitement disposé de manière à recouvrir ces deux traits inutiles, n'aura pas remplacé l'ancien sur la page, les vestiges d'encre noire continueront d'y être visibles. A moins que la gomme n'entre en jeu derechef.

Elle se détache à présent sur le bois brun foncé du bureau,* ainsi que la lame de rasoir, au pied du cadre incrusté de nacre où A . . . s'apprête à reposer son verre sur la table ronde aux perforations multiples. La gomme est un mince disque rose dont la partie centrale est occupée par une rondelle en fer blanc. La lame de rasoir est un rectangle poli sans épaisseur, arrondi sur ses deux petits côtés et percé de trois trous en ligne. Le trou médian est circulaire; les deux autres, de chaque côté, reproduisent exactement – à une échelle très réduite – la forme générale de la lame, c'est-à-dire un rectangle aux petits côtés arrondis.

Au lieu de regarder le verre qu'elle s'apprête à poser, A . . . , dont la chaise est placée de biais par rapport à la table, se tourne dans la direction opposée pour sourire au photographe, comme afin de l'encourager à prendre ce cliché impromptu.

L'opérateur n'a pas baissé son appareil pour le mettre au niveau du modèle. Il a même l'air d'être monté sur quelque chose: banc de pierre, marche, ou muretin. A . . . doit lever le visage pour l'offrir à l'objectif. Le cou svelte est dressé, vers la droite. De ce côté, la main prend appui avec naturel sur l'extrême bord du siège, contre la cuisse; le bras nu est légèrement fléchi au coude. Les genoux sont disjoints, les jambes à demi étendues, les chevilles croisées.

La taille très fine est serrée par une large ceinture à triple agrafe. Le bras gauche, allongé, tient le verre à vingt centimètres au-dessus de la table ajourée.

L'opulente chevelure noire est libre sur les épaules.* Le flot des lourdes boucles aux reflets roux frémit aux moindres impulsions que lui communique la tête. Celle-ci doit être agitée de menus mouvements, imperceptibles en eux-mêmes, mais amplifiés par la masse des cheveux qu'ils parcourent d'une épaule à l'autre, créant des remous luisants, vite amortis, dont l'intensité soudain se ranime en convulsions inattendues, un peu plus bas . . . plus bas encore . . . et un dernier spasme beaucoup plus bas.

Le visage, caché par la position qu'elle occupe, est penché sur la table où les mains, invisibles, se livrent à quelque travail minutieux et long : remaillage d'un bas très fin, polissage des ongles, dessin au crayon d'une taille réduite, gommage d'une tache ou d'un mot mal choisi. De temps à autre elle redresse le buste et prend du recul pour mieux juger de son ouvrage. D'un geste lent, elle rejette en arrière une mèche, plus courte, qui s'est détachée de cette coiffure trop instable, et la gêne.

Mais la mèche rebelle demeure sur la soie blanche, tendue par la chair de l'épaule, où elle trace une ligne onduleuse terminée par un crochet. Au-dessous de la chevelure mouvante, la taille très fine est coupée verticalement, dans l'axe du dos, par l'étroite fermeture métallique de la robe.

A . . . est debout sur la terrasse,* au coin de la maison, près du pilier carré qui soutient l'angle sud-ouest du toit. Elle s'appuie des deux mains à la balustrade, face au midi, dominant le jardin et toute la vallée.

Elle est en plein soleil. Les rayons la frappent rigoureusement de front. Mais elle ne les craint pas, même à l'heure de midi. Son ombre raccourcie se projette, perpendiculaire, sur le dallage dont elle n'occupe, en longueur, pas plus d'un carreau. Deux centimètres en arrière commence l'ombre du toit, parallèle à la balustrade. Le soleil est presque au zénith.

Les deux bras tendus s'écartent d'une distance égale de part et d'autre des deux hanches. Les mains tiennent toutes les deux la barre de bois d'une façon identique. Comme A . . . fait porter l'exacte moitié de son poids sur chacun des hauts talons de ses chaussures, la symétrie de tout son corps est parfaite.

A . . . se tient debout contre une des fenêtres closes du salon, juste en face du chemin qui descend depuis la grand-route. A travers la vitre, elle regarde droit devant soi, vers l'entrée du chemin, par-dessus la cour poussiéreuse, dont l'ombre de la maison obscurcit une bande large d'environ trois mètres. Le reste de la cour est blanc de soleil.

La grande pièce, en comparaison, paraît sombre. La robe s'y teinte du bleu froid des profondeurs. A . . . ne fait pas un geste. Elle continue de contempler la cour et l'entrée du chemin, au milieu des bananiers, droit devant soi.

A . . . est dans la salle de bains, dont elle a laissé la porte entrebâillée sur le couloir. Elle n'est pas occupée à sa toilette. Elle est debout contre la table laquée de blanc, devant la fenêtre carrée qui lui arrive à hauteur de poitrine. Au delà de l'embrasure béante, par-dessus la terrasse, la balustrade à jours, le jardin en contre-bas, son regard ne peut atteindre que la masse verte des bananiers, et plus loin, surplombant la route qui descend vers la plaine, l'éperon rocheux du plateau, derrière lequel vient de disparaître le soleil.

La nuit ensuite n'est pas longue à tomber, dans ces contrées sans crépuscule. La table laquée devient vite d'un bleu plus soutenu, ainsi que la robe, le sol blanc, les flancs de la baignoire. La pièce entière est plongée dans l'obscurité.

Seul le carré de la fenêtre fait une tache d'un violet plus clair, sur laquelle se découpe la silhouette noire de A . . . : la ligne des épaules et des bras, le contour de la chevelure. Il est impossible, sous cet éclairage, de savoir si sa tête se présente de face ou de dos.

Dans tout le bureau brusquement le jour baisse. Le soleil s'est couché. A . . . , déjà, est effacée complètement. La photographie ne se signale plus que par les bords nacrés de son cadre, qui brillent dans un reste de lumière. Par devant brillent aussi le parallélogramme que la lame dessine et l'ellipse en métal au centre de la gomme. Mais leur éclat ne dure guère. L'œil maintenant ne discerne plus rien, malgré les fenêtres ouvertes.

Les cinq ouvriers sont toujours à leur poste, dans le fond de la vallée, accroupis en quinconce sur le petit pont. L'eau courante du ruisseau scintille encore des derniers reflets de la pénombre. Et puis, plus rien.

Sur la terrasse A . . . doit bientôt fermer son livre. Elle a poursuivi sa lecture jusqu'à ce que le jour soit devenu insuffisant. Alors elle relève le visage, pose le livre sur la table basse à portée de sa main, et demeure immobile, les deux bras nus allongés sur les accoudoirs du fauteuil, le buste rejeté en arrière contre son dossier, les yeux grands ouverts en face du ciel vide, des bananiers absents, de la balustrade, engloutie à son tour par la nuit.

Et le bruit assourdissant des criquets emplit déjà les oreilles, comme s'il n'avait jamais cessé d'être là. Le crissement continu, sans progression, sans nuance, se retrouve à son plein développement, durant déjà depuis de longues minutes, ou même des heures, puisqu'un début quelconque n'a pu être enregistré à aucun moment.

Maintenant la scène est tout à fait noire. Bien que la vue ait eu le temps de s'habituer, aucun objet ne surnage, même parmi les plus proches.

Mais, maintenant, il y a de nouveau des balustres vers le coin de la maison, des demi-balustres plus exactement, et une barre d'appui les surmonte; et le carrelage émerge à leur pied peu à peu. L'angle du mur précise sa ligne verticale. Une lueur vive jaillit de derrière.

C'est une lampe allumée, une des grosses lampes à gaz d'essence, qui éclaire deux jambes en marche, à la hauteur des genoux nus et des mollets. Le boy s'approche, tenant l'anse au bout de son long bras. Des ombres dansent dans toutes les directions.

Le boy n'a pas encore atteint la petite table que la voix de A... se fait entendre, précise et mesurée; elle demande de placer la lampe dans la salle à manger, après avoir pris soin d'en fermer les fenêtres, comme chaque soir.

«Tu sais bien qu'il ne faut pas apporter la lumière ici. Elle attire les moustiques.»

Le boy n'a rien dit et ne s'est pas arrêté un seul instant. La régularité de sa marche n'a même pas été altérée. Arrivé au niveau de la porte, il a exécuté un quart de tour en direction du couloir, où il a disparu, ne laissant derrière soi qu'une lueur pâlissante: l'embrasure de la porte, un rectangle sur le dallage de la terrasse, et six balustres à l'autre bout. Puis plus rien.

A... n'a pas détourné la tête pour s'adresser au boy. Son visage recevait les rayons de la lampe sur le côté droit. Ce profil vivement éclairé persiste ensuite sur la rétine. Dans la nuit noire où rien ne surnage des objets, même les plus proches, la tache lumineuse se déplace à volonté, sans que sa force s'atténue, gardant la découpure du front, du nez, du menton, de la bouche . . .

La tache est sur le mur de la maison, sur les dalles, sur le ciel vide. Elle est partout dans la vallée, depuis le jardin jusqu'à la rivière et sur l'autre versant. Elle est aussi dans le bureau, dans la chambre, dans la salle à manger, dans le salon, dans la cour, sur le chemin qui s'éloigne vers la grand-route.

A . . . cependant n'a pas bougé d'une ligne. Elle n'a pas ouvert la bouche pour parler, sa voix n'a pas troublé le vacarme des criquets nocturnes; le boy n'est pas venu sur la terrasse, il n'y a donc pas apporté la lampe, sachant très bien que sa maîtresse n'en veut pas.

Il l'a portée dans la chambre, où sa maîtresse s'apprête maintenant pour le départ.

La lampe est posée sur la table-coiffeuse. A . . . est en train de terminer son discret maquillage: ce rouge sur les lèvres qui se contente de reproduire leur teinte naturelle, mais qui paraît plus noir sous cette lumière trop crue.

Le jour n'est pas encore levé.

Franck va venir tout à l'heure pour prendre A . . . et l'emmener jusqu'au port. Elle est assise devant le miroir ovale où son visage apparaît de face, éclairé d'un seul côté, doublant à faible distance le visage de profil.

A . . . se penche davantage, vers la glace. Les deux visages se rapprochent. Ils ne sont plus qu'à trente centimètres l'un de l'autre. Mais ils conservent leur forme et leur position respective: un profil et une face parallèles entre eux.

La main droite et la main du miroir dessinent, sur les lèvres et leur reflet, l'exacte image des lèvres, un peu plus vive, plus nette encore, à peine un peu plus foncée.

Deux coups légers sont frappés à la porte du couloir.

Eclatantes, la bouche et la demi-bouche remuent avec un parfait synchronisme:

«Qu'est-ce que c'est?»

La voix est contenue, comme dans une chambre de malade, où comme la voix d'un voleur qui parle à son complice.

«Le monsieur, il est là», répond la voix du boy, de l'autre côté du panneau.

Aucun bruit de moteur n'a pourtant troublé le silence (qui n'était pas le silence, mais le sifflement continu de la lampe à pression).

A . . . dit: «Je viens.»

Elle termine sans hâte, d'un geste sûr, l'ourlet sinueux au-dessus du menton.

Elle se lève, traverse la chambre en contournant le grand lit, prend son sac à main sur la commode et le fin chapeau de paille blanche à très larges bords. Elle ouvre la porte sans faire de bruit (quoique sans précautions excessives), sort, referme la porte derrière soi.

Les pas s'éloignent le long du couloir.

La porte d'entrée s'ouvre et se referme.

Il est six heures et demie.

Toute la maison est vide. Elle est vide depuis le matin.

Il est maintenant six heures et demie. Le soleil a disparu derrière l'éperon rocheux qui termine la plus importante avancée du plateau.

C'est la nuit noire, figée, n'apportant pas la moindre impression de fraîcheur, pleine du bruit assourdissant des criquets qui semble durer depuis toujours.

A . . . ne doit pas rentrer pour le dîner, qu'elle prend en ville avec Franck avant de se remettre en route. Elle n'a rien dit de préparer pour son retour. C'est qu'elle n'aura donc besoin de rien. Il est inutile de l'attendre. Il est inutile en tout cas de l'attendre pour dîner.

Sur la table de la salle à manger, le boy a disposé un unique couvert, en face du buffet long et bas qui occupe presque toute la cloison entre la porte ouverte de l'office et la fenêtre fermée donnant sur la cour. Les rideaux, qui n'ont pas été tirés, laissent à découvert les six carreaux noirs de la fenêtre.

Une seule lampe éclaire la grande pièce. Elle est située sur la table, dans son angle sud-ouest (c'est-à-dire du côté de l'office), illuminant la nappe blanche. A droite de la lampe, une petite tache de sauce marque la place de Franck: une empreinte allongée, sinueuse, entourée de signes plus ténus. De l'autre côté, les rayons viennent frapper perpendiculairement le mur nu, tout proche, faisant ressortir en pleine lumière l'image du mille-pattes écrasé par Franck.

Si chacune des pattes de la scutigère comprend quatre articles de longueur voisine, aucune de celles qui se trouvent dessinées ici, sur la peinture mate, n'est intacte – sauf une peut-être, la première à gauche. Mais elle est étendue, presque rectiligne, de sorte que ses articulations ne sont pas faciles à localiser avec certitude. La patte originale pouvait être sensiblement plus longue encore. L'antenne, non plus, ne s'est sans doute pas imprimée jusqu'au bout sur le mur.

Dans l'assiette blanche, un crabe de terre déploie ses cinq paires de pattes aux jointures très apparentes, solides, bien réglées, emboîtées avec justesse. Tout autour de la bouche, des appendices nombreux, de taille plus faible, sont également semblables entre eux deux à deux. L'animal s'en sert pour produire une sorte de grésillement, perceptible de tout près, analogue à celui qu'émet dans certains cas la scutigère.

Mais la lampe empêche de rien entendre, à cause de son sifflement continuel, dont l'oreille ne se rend compte que lorsqu'elle essaye de percevoir un autre son.

Sur la terrasse, où le boy a fini par transporter la petite table et l'un des fauteuils bas, le bruit de la lampe s'évanouit chaque fois qu'un cri de bête vient l'interrompre.

Les criquets depuis longtemps se sont tus. La nuit déjà est assez avancée. Il n'y a ni étoiles ni lune. Il n'y a pas un souffle de vent. C'est une nuit noire, calme et chaude, comme toutes les autres nuits, coupée seulement çà et là par les appels aigus et brefs des petits carnassiers nocturnes, le vrombissement subit d'un scarabée, le froissement d'ailes d'une chauve-souris.

Un silence s'établit ensuite. Mais un bruit plus discret, comme un ronronnement, fait dresser l'oreille . . . Il s'est arrêté aussitôt. Et de nouveau s'impose le sifflement de la lampe.

Cela ressemblait plus d'ailleurs à un grognement qu'au bruit d'un moteur de voiture. A . . . n'est pas encore rentrée. Ils ont un peu de retard, ce qui est bien normal avec ces mauvaises routes.

La lampe, c'est certain, attire les moustiques ; mais elle les attire vers sa propre lumière. Il suffit donc de la placer à quelque distance pour n'être pas incommodé par eux, ou par d'autres insectes.

Ils tournent tous autour du verre, accompagnant de leurs vols cycliques le sifflement uniforme du gaz d'essence. Leur modeste taille, leur éloignement relatif, leur vitesse – d'autant plus grande qu'ils passent plus près de la source lumineuse – empêchent de reconnaître la configuration du corps et des ailes. Il n'est même pas possible de distinguer entre elles les différentes espèces, à plus forte raison de les nommer. Ce ne sont que de simples párticules en mouvement, qui décrivent des ellipses plus ou moins aplaties dans des plans horizontaux, ou d'inclinaison très faible, coupant à divers niveaux le manchon allongé de la lampe.

Mais les trajectoires sont rarement centrées sur celle-ci; presque toutes s'écartent davantage d'un côté, à droite ou à gauche, et si largement parfois que le corpuscule disparaît dans la nuit. Il rentre en scène aussitôt – ou un autre à sa place – et rétrécit bientôt son orbite, de manière à évoluer avec ses congénères dans une zone commune, violemment éclairée, longue d'un mètre cinquante environ.

A chaque instant, certaines des ellipses s'amincissent jusqu'à devenir tangentes au globe, de part et d'autre de celui-ci (en avant et en arrière). Elles sont alors réduites à leurs plus courtes dimensions, dans les deux sens, et elles atteignent leur vitesse la plus grande. Mais elles ne tiennent pas longtemps ce rythme accéléré: par un brusque écart, l'élément générateur reprend une gravitation plus calme.

Du reste, qu'il s'agisse de l'amplitude, de la forme, ou de la situation plus ou moins excentrique, les variations sont probablement incessantes à l'intérieur de l'essaim. Il faudrait, pour les suivre, pouvoir différencier les individus. Comme c'est impossible, une certaine permanence d'ensemble s'établit, au sein de laquelle les crises locales, les arrivées, les départs, les permutations, n'entrent plus en ligne de compte.

Aigu et bref, le cri d'un animal retentit, tout proche, paraissant venir du jardin, juste au pied de la terrasse. Puis le même cri, au bout de trois secondes, signale sa présence de l'autre côté de la maison. Et de nouveau c'est le silence, qui n'est pas le silence, mais une succession de cris identiques, plus menus, plus lointains, dans la masse des bananiers, près de la rivière, sur le versant opposé peut-être, d'un bout à l'autre du vallon.

Maintenant c'est un bruit plus sourd, moins fugitif, qui sollicite l'attention : une sorte de grognement, de ronflement, ou de ronronnement...

Mais, avant même de s'être suffisamment précisé, le bruit s'est éteint. L'oreille, qui cherche en vain à le retrouver, dans la nuit, ne perçoit plus à sa place que le souffle de la lampe à pression.

Le son en est plaintif, élevé, un peu nasillard. Mais sa complexité lui permet d'avoir des harmoniques à toutes les hauteurs. D'une constance absolue, à la fois étouffé et perçant, il emplit la tête et la nuit entière, comme s'il ne venait de nulle part.

Autour de la lampe, la ronde des insectes est toujours exactement la même. Cependant, à force de la contempler, l'œil finit par y déceler des corpuscules plus gros que les autres. Ce n'est pas assez toutefois pour en déterminer la nature. Sur le fond noir ils ne forment, eux aussi, que des taches claires, qui deviennent de plus en plus brillantes à mesure qu'elles se rapprochent de la lumière, virent au noir d'un seul coup quand elles passent devant le globe, à contre-jour, puis retrouvent tout leur éclat, dont l'intensité décroît alors vers la pointe de l'orbite.

Dans la brusquerie de son retour en direction du verre, la tache vient s'y heurter avec violence, produisant un tintement sec. Tombée sur la table, elle est devenue un petit coléoptère rougeâtre, aux élytres closes, qui marche en rond lentement sur le bois plus foncé.

D'autres bestioles, pareilles à celle-là, ont déjà échoué comme elle sur la table ; elles y errent à l'aventure, parcourant d'une allure incertaine des trajets aux crochets nombreux, aux buts problématiques. Soulevant soudain ses élytres en un V aux branches recourbées, l'une d'elles étend ses ailes membraneuses, prend son vol et rentre aussitôt dans l'essaim des corpuscules.

Mais elle y constitue l'un des éléments les plus lourds, les moins rapides, donc les moins difficiles à suivre des yeux. Les spires qu'elle décrit sont sans doute aussi parmi les plus capricieuses : elles comprennent des boucles, des festons, des montées suivies de chutes brutales, des inflexions, des points de rebroussement...

Le bruit plus sourd maintenant dure déjà depuis plusieurs secondes, ou même plusieurs minutes: une sorte de grognement, de ronflement, ou le ronronnement d'un moteur, le moteur d'une automobile qui monterait vers le plateau, sur la grand-route. Il s'estompe un moment; mais c'est pour reprendre ensuite de plus belle. Cette fois c'est bien le bruit d'une voiture sur la route.

Il s'enfle progressivement. Il occupe toute la vallée de sa trépidation régulière, monotone, beaucoup plus ample qu'elle ne semblerait en plein jour. Son importance excède même très vite ce que l'on est en droit d'attendre d'une simple conduite-intérieure.

Le bruit est maintenant parvenu à proximité de l'embranchement du chemin qui dessert la plantation. Au lieu de ralentir pour obliquer sur la droite, il poursuit son avance uniforme, arrivant à présent aux oreilles après avoir contourné la maison par son pignon est. Il a dépassé la bifurcation.

Ayant atteint la partie plate de la route, juste au-dessous du rebord rocheux par lequel le plateau s'interrompt, le camion change de vitesse et continue avec un ronronnement moins lourd. Ensuite son bruit diminue peu à peu, à mesure qu'il s'éloigne vers l'est, éclairant de ses phares puissants les touffes d'arbres au feuillage rigide qui parsèment la brousse, en direction de la concession suivante, celle de Franck.

Sa voiture a pu tomber en panne, une fois de plus. Ils devraient être de retour depuis longtemps.

Autour de la lampe à essence continuent de tourner les ellipses, s'allongeant, se rétrécissant, s'écartant vers la droite ou la gauche, montant, descendant, ou basculant d'un côté puis de l'autre, s'emmêlant en un écheveau de plus en plus brouillé, où aucune courbe autonome ne demeure identifiable.

A . . . devrait être de retour depuis longtemps.

Néanmoins les causes probables de retard ne manquent pas. Mis à part l'accident – jamais exclu – il y a les deux crevaisons successives, qui obligent le conducteur à réparer lui-même un des pneus: enlever la roue, démonter l'enveloppe, trouver le trou dans la chambre à air à la lueur des phares, etc. . . . ; il y a la rupture de quelque connexion électrique, due à un cahot trop violent, qui coupe par exemple l'alimentation des phares, contraignant à de longues investigations et à un raccord de fortune sous l'éclairage médiocre d'une pile de poche. La piste est en si mauvais état que des pièces maîtresses* peuvent même être endommagées, si la voiture va trop vite: amortisseurs cassés, arbre faussé,* carter en morceaux... Il y a aussi l'assistance qui ne se refuse pas à un autre chauffeur en difficulté. Il y a les divers aléas retardant le départ lui-même: prolongement imprévu de quelque affaire, lenteur excessive du restaurateur, invitation à dîner acceptée à la dernière minute chez un ami de rencontre, etc...., etc.... Il y a enfin la fatigue du conducteur, qui lui a fait remettre son retour au lendemain.

Le bruit d'un camion qui monte la route, sur ce versant-ci de la vallée, emplit l'air de nouveau. Il se déplace d'ouest en est, d'un bout à l'autre du champ auditif, atteignant son maximum de puissance lorsqu'il passe derrière la maison. Il va aussi vite que le précédent, ce qui peut le faire confondre un instant avec une voiture de tourisme; mais le bruit est beaucoup trop fort. Le camion n'est pas chargé, de toute évidence. Ce sont les transporteurs de bananes qui remontent à vide, depuis le port, après avoir déposé leurs régimes sous les hangars, à l'entrée du wharf, le long duquel le «Cap Saint-Jean» s'est amarré.

C'est ce motif qui figure sur le calendrier des postes, au mur de la chambre. Le navire blanc, tout neuf, est à quai, contre la longue jetée qui – partant de la marge inférieure – s'avance en pointe vers le large.* On ne distingue pas bien la structure de celle-ci: il s'agit vraisemblablement d'une charpente en bois (ou en fer) supportant une chaussée revêtue de goudron. Alors que la jetée se trouve presque au ras de l'eau, les flancs du navire se dressent à une grande hauteur au-dessus d'elle. Il se présente de face, montrant la ligne verticale de son étrave et les deux parois lisses, dont une seule est éclairée.

Le navire et la jetée occupent le milieu de l'image, lui à gauche, elle à droite. Tout autour, la mer est semée de pirogues: il y en a huit qui sont nettement visibles et trois autres plus incertaines, dans le fond. Une embarcation moins fragile, munie d'une voile carrée que le vent gonfle, est sur le point de doubler l'extrémité du wharf.

Sur celui-ci se presse une foule multicolore, près d'un amas de ballots entassés, en avant du navire.

Un peu à l'écart, mais au premier plan, tournant le dos à cette agitation et au grand bateau blanc qui la provoque, un personnage vêtu à l'européenne regarde, vers la partie droite de l'image, une sorte d'épave dont la masse imprécise flotte à quelques mètres de lui. La surface de l'eau est ondulée d'une faible houle, courte, régulière, qui arrive en direction de l'homme. L'épave, à demi soulevée par le flot, semble être un vieux vêtement, ou un sac vide.

La plus grosse des pirogues est située dans son voisinage immédiat, mais elle s'en éloigne; toute l'attention des deux indigènes qui la manœuvrent est accaparée, à l'avant, par le choc d'une petite vague contre la coque, que surplombe un panache d'écume fixé en l'air par la photographie.

A gauche de la jetée, la mer est encore plus calme. Elle est aussi d'un vert plus soutenu. De larges flaques d'huile forment des taches glauques au pied de l'appontement. C'est de ce bord-là que le «Cap Saint-Jean» vient d'accoster; vers lui converge l'intérêt de tous les autres personnages constituant la scène. A cause de la position que le navire occupe, ses superstructures sont assez confuses, sauf la face avant du château, la passerelle, le haut de la cheminée, et le premier mât de chargement avec son bras oblique, ses poulies, ses câbles, ses filins.

Au sommet du mât s'est perché un oiseau, qui n'est pas un oiseau de mer, mais un vautour au cou déplumé. Un second plane dans le ciel, au-dessus et à droite; ses ailes sont dans le prolongement l'une de l'autre, bien étalées, l'ensemble étant fortement incliné vers le haut du mât; l'oiseau est en train d'exécuter un virage. Au-dessus encore court horizontalement une marge blanche de trois millimètres, puis une bordure rouge plus étroite de moitié.

Au-dessus du calendrier, qu'une punaise retient par un fil rouge en forme d'accent circonflexe, la cloison de bois est peinte en gris clair. D'autres trous de punaises y sont percés, aux alentours. Un trou moins discret, sur la gauche, marque l'emplacement d'un piton absent, ou d'un gros clou.

Hormis ces perforations, la peinture de la chambre est en bon état. Ses quatre murs, comme ceux de toute la maison, sont revêtus de lattes verticales, larges d'une dizaine de centimètres, séparées entre elles par une cannelure à double sillon. La profondeur de ceux-ci les souligne d'une ombre nette, sous l'éclairage cru de la lampe à gaz d'essence.

Cette rayure se reproduit de la même façon sur les quatre côtés de la chambre carrée – cubique, même, puisqu'elle est aussi haute de plafond qu'elle est large, ou longue. Le plafond d'ailleurs est également recouvert par les mêmes lattes grises. Quant au plancher, il offre encore une disposition identique, mise en évidence par des interstices longitudinaux bien marqués, très propres, creusés par les fréquents lavages qui décolorent le bois des lames, et parallèles aux cannelures du plafond.

Ainsi les six faces intérieures du cube se trouvent découpées avec exactitude en minces bandes de dimensions constantes, verticales pour les quatre plans verticaux, orientées d'ouest en est pour les deux plans horizontaux. Lorsque la lampe se balance un peu, au bout du bras tendu, toutes ces lignes aux courtes ombres mouvantes paraissent animées d'un mouvement général de rotation.

Extérieurement, les murs de la maison montrent au contraire des planches placées dans le sens horizontal; elles sont aussi plus larges – vingt centimètres environ – et se chevauchent l'une l'autre par l'extrême bord. Leur surface n'est donc pas inscrite dans un plan vertical unique, mais dans de multiples plans parallèles, inclinés de quelques degrés et distants entre eux de l'épaisseur d'une planche.

Les fenêtres sont encadrées d'une moulure et surmontées par un fronton en forme de triangle très aplati. Les lattes qui composent ces ornements ont été clouées par-dessus les voliges imbriquées constituant la paroi, si bien que les deux systèmes ne sont en contact que par une série d'arêtes (le bord inférieur de chaque planche), entre lesquelles subsistent des jours très importants.

Seules sont appliquées par toute leur superficie les deux moulures horizontales: la base du fronton et la base de l'encadrement, sous la fenêtre. Dans le coin de celle-ci, un liquide foncé a coulé le long du bois, traversant les voliges l'une après l'autre d'arête en arête, puis le soubassement de béton, traînée de plus en plus étroite qui finit par n'être qu'un filet, et atteint le sol de la terrasse au milieu d'un carreau, s'y achevant en une petite tache ronde.

Le dallage, aux environs, est net de toute salissure. Il est lavé fréquemment, il l'a été encore dans l'après-midi. La terre cuite très fine présente une surface mate, grisâtre, douce au toucher. Les carreaux sont de grande dimension; à partir de la tache ronde, en suivant le mur, il y en a seulement cinq et demi jusqu'à la marche d'entrée du couloir.

La porte est encadrée, elle aussi, par une moulure de bois et surmontée d'un fronton triangulaire aplati. Passé le seuil commence un nouveau carrelage, mais dont les éléments sont beaucoup plus petits: réduits de moitié dans chaque sens, ce qui les ramène à la taille courante. Au lieu d'être lisses, comme ceux de la terrasse, ils sont hachurés, suivant une des directions diagonales, par des rainures sans profondeur; les parties déprimées ont la même largeur que les côtes, c'est-à-dire quelques millimètres. Leur disposition est alternée d'un carreau à l'autre, de manière à dessiner des chevrons successifs. Ce faible relief, à peine visible en plein jour, est accusé par la lumière artificielle, surtout à une certaine distance en avant de la lampe, et davantage encore si elle est tenue au ras du sol.

Le léger bercement de la lumière, qui s'avance le long du couloir, agite la suite ininterrompue des chevrons d'une ondulation continuelle, semblable à celle des vagues.

Le même carrelage se poursuit, sans la moindre séparation, dans le salon-salle à manger. La zone où se dressent la table et les chaises est recouverte d'une natte en fibre; l'ombre de leurs pieds y tourne rapidement, dans le sens inverse des aiguilles d'une montre.

Derrière la table, au centre du long buffet, la cruche indigène a l'air encore plus volumineuse: son gros ventre sphérique, en terre rouge non vernissée, projette sur le mur une ombre dense qui s'accroît à mesure que la source lumineuse se rapproche, disque noir surmonté d'un trapèze isocèle (dont la grande base se trouve en haut) et d'une mince courbe fortement arquée, qui relie le flanc circulaire à l'un des sommets du trapèze.

La porte de l'office est fermée. Entre elle et l'ouverture béante du couloir, il y a le mille-pattes.★ Il est gigantesque: un des plus gros qui puissent se rencontrer sous ces climats. Ses antennes allongées, ses pattes immenses étalées autour du corps, il couvre presque la surface d'une assiette ordinaire. L'ombre des divers appendices double sur la peinture mate leur nombre déjà considérable.

Le corps est recourbé vers le bas: sa partie antérieure s'infléchit en direction de la plinthe, tandis que les derniers anneaux conservent leur orientation primitive – celle d'un trajet rectiligne coupant en biais le panneau depuis le seuil du couloir jusqu'au coin du plafond, au-dessus de la porte close de l'office.

La bête est immobile, comme en attente, droite encore, bien qu'ayant peut-être flairé le danger. Seules ses antennes se couchent l'une après l'autre et se relèvent, dans un mouvement de bascule alterné, lent mais continu.

Soudain l'avant du corps se met en marche, exécutant une rotation sur place, qui incurve le trait oblique vers le bas du mur. Et aussitôt, sans avoir le temps d'aller plus loin, la bestiole choit sur le carrelage, se tordant à demi et crispant par degrés ses longues pattes, cependant que les mâchoires s'ouvrent et se ferment à toute vitesse autour de la bouche, à vide, dans un tremblement réflexe . . . Il est possible, en approchant l'oreille, de percevoir le grésillement léger qu'elles produisent.

Le bruit est celui du peigne dans la longue chevelure.★ Les dents d'écaille passent et repassent du haut en bas de l'épaisse masse noire aux reflets roux, électrisant les pointes et s'électrisant elles-mêmes, faisant crépiter les cheveux souples, fraîchement lavés, durant toute la descente de la main fine – la main fine aux doigts effilés, qui se referment progressivement.

Les deux longues antennes accélèrent leur balancement alterné. L'animal s'est arrêté au beau milieu du mur, juste à la hauteur du regard. Le grand développement des pattes, à la partie postérieure du corps, fait reconnaître sans risque d'erreur la scutigère, ou «mille-pattes-araignée». Dans le silence, par instant, se laisse entendre, le grésillement caractéristique, émis probablement à l'aide des appendices bucaux.

Franck, sans dire un mot, se relève,★ prend sa serviette; il la roule en bouchon, tout en s'approchant à pas feutrés,★ écrase la bête contre le mur. Puis, avec le pied, il écrase la bête sur le plancher de la chambre.

Ensuite il revient vers le lit et remet au passage la serviette de toilette sur sa tige métallique, près du lavabo.

La main aux phalanges effilées s'est crispée sur le drap blanc. Les cinq doigts écartés se sont refermés sur eux-mêmes, en appuyant avec tant de force qu'ils ont entraîné la toile avec eux: celle-ci demeure plissée de cinq faisceaux de sillons convergents . . . Mais la moustiquaire retombe, tout autour du lit, interposant le voile opaque de ses mailles innombrables, où des pièces rectangulaires renforcent les endroits déchirés.

Dans sa hâte d'arriver au but,* Franck accélère encore l'allure. Les cahots deviennent plus violents. Il continue néanmoins d'accélérer. Il n'a pas vu, dans la nuit, le trou qui coupe la moitié de la piste. La voiture fait un saut, une embardée . . . Sur cette chaussée défectueuse le conducteur ne peut redresser à temps. La conduite-intérieure bleue va s'écraser, sur le bas côté, contre un arbre au feuillage rigide qui tremble à peine sous le choc, malgré sa violence.

Aussitôt des flammes jaillissent. Toute la brousse en est illuminée, dans le crépitement de l'incendie qui se propage. C'est le bruit que fait le mille-pattes, de nouveau immobile sur le mur, en plein milieu du panneau.

A le mieux écouter, ce bruit tient du souffle autant que du crépitement: la brosse maintenant descend à son tour le long de la chevelure défaite. A peine arrivée au bas de sa course, très vite elle remonte la branche ascendante du cycle, décrivant dans l'air une courbe qui la ramène à son point de départ, sur les cheveux lisses de la tête, où elle commence à glisser derechef.

Contre la paroi opposée de la chambre,* le vautour en est toujours au même point de son virage. Un peu plus bas, couronnant le mât du navire, le deuxième oiseau n'a pas bougé non plus. En-dessous, au premier plan, le morceau d'étoffe est encore à demi soulevé par la même ondulation de la houle. Et le regard des deux indigènes, dans la pirogue, n'a pas quitté le panache d'écume, toujours sur le point de retomber, à l'avant de leur embarcation fragile.

Tout en bas, enfin, le dessus de la table à écrire offre une surface vernie, où le sous-main de cuir est à sa place, dans l'axe du grand côté. A gauche un rond de feutre, spécialement affecté à cet usage, reçoit le socle circulaire de la lampe à essence, dont l'anse retombe par derrière.

A l'intérieur du sous-main,* le buvard vert est constellé de fragments d'écriture à l'encre noire: barres de deux ou trois millimètres, petits arcs de cercles, crosses, boucles, etc. . . . ; aucun signe complet n'y pourrait être lu, même dans un miroir. Dans la poche latérale sont glissées onze feuilles de papier à lettres, d'un bleu très pâle, du format commercial ordinaire. La première de ces feuilles porte la trace bien visible d'un mot gratté – en haut et à droite – dont ne subsistent que deux fragments de jambages, trLs éclaircis par la gomme. Le papier à cet endroit est plus mince, plus translucide, mais son grain est à peu prLs lisse, prêt pour la nouvelle inscription. Quant aux anciens caractères, ceux qui s'y trouvaient auparavant, il n'est pas possible de les reconstituer. Le sous-main en cuir ne contient rien d'autre.

Dans le tiroir de la table, il y a deux blocs de papier pour la correspondance; l'un est neuf, le second largement entamé. La dimension des feuilles, leur qualité, leur couleur bleu pâle, sont absolument identiques à celles des précédentes. A côté sont rangés trois paquets d'enveloppes assorties, doublées de bleu foncé, encore entourées de leur bande. Il manque cependant, dans l'un des paquets, une bonne moitié des enveloppes, et la bande est lâche autour de celles qui restent.

Excepté deux crayons noirs, une gomme à machine en forme de disque, le roman qui a fait l'objet de maintes discussions et un carnet de timbres intact, il n'y a rien d'autre dans le tiroir de la table.

Le tiroir supérieur de la grosse commode demande un plus long inventaire. Dans sa partie droite, plusieurs boîtes renferment des vieilles lettres; presque toutes sont encore munies de leurs enveloppes, sur lesquelles figurent des timbres d'Europe ou d'Afrique: lettres envoyées par la famille de A . . . , lettres d'amis divers . . .

Une série de claquements discrets attirent l'attention vers la branche ouest de la terrasse, de l'autre côté du lit, derrière la fenêtre aux jalousies baissées. Cela pourrait être un bruit de pas sur le dallage. Pourtant le boy et le cuisinier doivent être couchés depuis longtemps. Leurs pieds nus, ou chaussés d'espadrilles, sont d'ailleurs tout à fait silencieux.

Le bruit a cessé aussitôt. S'il s'agissait vraiment d'un pas, c'était un pas rapide, menu, furtif. Il ne ressemblait guère à celui d'un homme, mais plutôt à celui d'un quadrupède: quelque chien sauvage égaré sur la terrasse.

Il a disparu trop vite pour laisser un souvenir précis: l'oreille n'a même pas eu le temps de l'écouter. Combien de fois s'est répété le choc léger contre les dalles? A peine cinq ou six, ou même encore moins. C'est peu pour un chien qui passe. La chute d'un gros lézard, depuis le dessous du toit, produit souvent un «flac» étouffé de cette sorte; mais il aurait alors fallu que cinq ou six lézards se laissent tomber l'un après l'autre, coup sur coup, ce qui est peu probable . . . Trois lézards seulement? Ce serait déjà trop . . . Peut-être en somme le bruit ne s'est-il répété que deux fois.

A mesure qu'il s'éloigne dans le passé, sa vraisemblance diminue. C'est maintenant comme s'il n'y avait rien eu du tout. Par les fentes d'une jalousie entrouverte – un peu tard – il est évidemment impossible de distinguer quoi que ce soit. Il ne reste plus qu'à refermer, en manœuvrant la baguette latérale qui commande un groupe de lames.

La chambre est close de nouveau.* Les raies du plancher, les cannelures des parois, celles du plafond, tournent de plus en plus vite. Debout sur l'appontement, le personnage qui surveille le débris flottant commence lui-même à s'incliner, sans rien perdre de sa raideur. Il est vêtu d'un complet blanc de bonne coupe, il est coiffé d'un casque colonial. Il porte une moustache noire à bouts relevés, selon l'ancienne mode.

Non. Son visage, qui n'est pas éclairé par le soleil, ne laisse rien deviner, même pas la couleur de sa peau. On dirait que la vague-lette, en poursuivant son avance, va déployer le morceau d'étoffe et permettre de voir si c'est un vêtement, un sac de toile, ou autre chose, s'il reste encore assez de jour, toutefois.

A ce moment la lumière s'éteint, d'un seul coup.

Sans doute a-t-elle baissé peu à peu, auparavant; mais cela n'est pas certain. Sa portée s'était-elle atténuée? Son éclat n'était-il pas plus jaune?

Cependant le piston de pompage a été actionné, à plusieurs reprises,* au début de la nuit. Toute l'essence est-elle déjà brûlée?

Le boy avait-il omis de remplir le réservoir? La brusquerie du phènomène n'indique-t-elle pas plutôt l'obstruction subite d'un conduit, due à quelque impureté du combustible?

De toute manière le rallumage est trop compliqué pour en valoir la peine. Traverser la chambre dans l'obscurité n'est pas tellement difficile, ni retrouver la grosse commode et son tiroir ouvert, les paquets de lettres sans importance, les boîtes de boutons, les pelotes de laine, une touffe de soies, ou de crins très fins, qui ressemblent à des cheveux, et de refermer le tiroir.

Le sifflement absent de la lampe à pression fait mieux comprendre la place considérable qu'il occupait. Le câble qui se déroulait régulièrement s'est soudain rompu, ou décroché, abandonnant la cage cubique à son propre sort: la chute libre. Les bêtes ont aussi dû se taire, une à une, dans le vallon. Le silence est tel que les plus faibles mouvements y deviennent impraticables.

Pareille à cette nuit sans contours,* la chevelure de soie coule entre les doigts crispés. Elle s'allonge, elle se multiplie, elle pousse des tentacules dans tous les sens, s'enroulant sur soi-même en un écheveau de plus en plus complexe, dont les circonvolutions et les apparents labyrinthes continuent de laisser passer les phalanges avec la même indifférence, avec la même facilité.

Avec la même facilité la chevelure se laisse dénouer, se laisse étendre, et retomber sur l'épaule en un flot docile, où la brosse de soie glisse doucement, de haut en bas, de haut en bas, de haut en bas, guidée maintenant par la seule respiration, qui suffit encore à créer, dans l'obscurité complète, un rythme égal, capable encore de mesurer quelque chose, si quelque chose demeure encore à mesurer, à cerner, à décrire, dans l'obscurité totale, jusqu'au lever du jour, maintenant.

Le jour est levé depuis longtemps. Au bas des deux fenêtres exposées au sud, des rais de lumière filtrent à travers les interstices des jalousies fermées. Pour que le soleil frappe la façade sous cet angle, il faut que sa hauteur soit déjà notable, dans le ciel. A . . . n'est pas rentrée. Le tiroir de la commode, à la gauche du lit, est resté entrouvert. Comme il est assez lourd, il produit, en coulissant dans son cadre, un grincement de porte mal huilée.

La porte de la chambre, au contraire, tourne en silence sur ses gonds. Les chaussures à semelles de caoutchouc ne font pas le moindre bruit sur le carrelage du couloir.

A gauche de la porte extérieure, sur la terrasse, le boy a disposé, comme à l'ordinaire, la table basse et l'unique fauteuil, et l'unique tasse à café sur la table. Le boy lui-même apparaît au coin de la maison, portant à deux mains le plateau où se dresse la cafetière.

Ayant déposé son chargement près de la tasse, il dit:

«Madame, elle est pas rentrée.»

Il aurait dit du même ton: «Le café, il est servi», «Dieu vous bénisse», ou n'importe quoi. Sa voix chante invariablement les mêmes notes, de telle manière qu'il n'est pas possible de distinguer les interrogations des autres phrases. Comme tous les serviteurs indigènes, ce boy est en outre habitué à ne jamais attendre de réponse, lorsqu'il a posé une question. Il repart aussitôt, pour pénétrer à présent dans la maison par la porte ouverte du couloir central.

Le soleil du matin prend en enfilade cette partie médiane de la terrasse, ainsi que toute la vallée. Dans l'air presque frais qui suit le lever du jour, le chant des oiseaux a remplacé celui des criquets nocturnes, et lui ressemble, quoique plus inégal, agrémenté de temps à autre par quelques sons un peu plus musicaux. Quant aux oiseaux, ils ne se montrent pas plus que les criquets – pas plus que d'habitude – voletant à l'abri sous les panaches verts des bananiers, tout autour de la maison.

Dans la zone de terre nue qui sépare celle-ci de ceux-là, le sol scintille des innombrables toiles chargées de rosée, que les araignées minuscules ont tendues entre les mottes. Tout en bas, sur le pont de bois qui franchit la petite rivière, une équipe de cinq manœuvres s'apprête à remplacer les rondins dont les termites ont miné l'intérieur.

Sur la terrasse, au coin de la maison, le boy entre en scène, suivant son itinéraire familier. Six pas en arrière, un deuxième indigène lui succède, vêtu d'un short et d'un tricot de corps, pieds nus, coiffé d'un vieux chapeau mou.

L'allure du nouveau personnage est souple, vive et nonchalante à la fois. Il s'avance à la suite de son guide vers la table basse, sans ôter de sa tête le singulier couvre-chef en feutre, informe, délavé.

Il s'arrête lorsque le boy s'est arrêté, c'est-à-dire cinq pas en arrière, et demeure là, les bras ballants le long du corps.

«Le monsieur là-bas, il est pas rentré», dit le boy.

Le messager au chapeau mou regarde en l'air, vers les poutrelles, sous le toit, où les margouillats gris-rose se poursuivent, par fragments de trajet courts et rapides, tombant en arrêt tout à coup en pleine course, la tête dressée sur un côté, la queue figée au milieu de l'ondulation interrompue.

«La dame, elle est ennuyée», dit le boy.

Il emploie cet adjectif pour désigner toute espèce d'incertitude, de tristesse ou de tracas. Sans doute est-ce «inquiète» qu'il pense aujourd'hui; mais ce pourrait être aussi bien «furieuse», «jalouse», ou même «désespérée». Il n'a d'ailleurs rien demandé; il est sur le point de repartir. Cependant une phrase anodine, sans signification précise, déclenche chez lui un flot de paroles, dans sa propre langue où abondent les voyelles, surtout les «a» et les «è».

Lui et le messager sont maintenant tournés l'un vers l'autre. Le second écoute, sans donner le moindre signe de compréhension. Le boy parle à toute vitesse, comme si son texte ne contenait aucune ponctuation, mais du même ton chantant que lorsqu'il s'exprime en français. Brusquement, il se tait. L'autre n'ajoute pas un mot, fait demi-tour et reprend en sens inverse le chemin par lequel il est venu, de son pas mol et rapide, en balançant sa tête et son couvre-chef, et ses hanches, et ses bras le long du corps, sans avoir ouvert la bouche.

Après avoir posé la tasse salie sur le plateau, à côté de la cafetière, le boy remporte l'ensemble, pénétrant dans la maison par la porte ouverte du couloir. Les fenêtres de la chambre sont fermées. A . . . n'est pas encore levée, à cette heure-ci.

Elle est partie très tôt, ce matin, afin de disposer du temps nécessaire à ses courses et de pouvoir cependant revenir le soir même à la plantation. Elle est descendue en ville avec Franck, pour faire quelques achats urgents. Elle n'a pas précisé lesquels.

Du moment que la chambre est vide, il n'y a aucune raison pour ne pas ouvrir les jalousies, qui garnissent entièrement les trois fenêtres à la place des carreaux. Les trois fenêtres sont semblables, divisées chacune en quatre rectangles égaux, c'est-à-dire quatre séries de lames, chaque batant comprenant deux séries dans le sens de la hauteur. Les douze séries sont identiques: seize lames de bois manœuvrées ensemble par une baguette latérale, disposée verticalement contre le montant externe.

Les seize lames d'une même série demeurent constamment parallèles. Quand le système est clos, elles sont appliquées l'une contre l'autre par leurs bords, se recouvrant mutuellement d'environ un centimètre. En poussant la baguette vers le bas, on diminue l'inclinaison des lames, créant ainsi une série de jours dont la largeur s'accroît progressivement.

Lorsque les jalousies sont ouvertes au maximum, les lames sont presque horizontales et montrent leur tranchant. Le versant opposé du vallon apparaît alors en bandes successives, superposées, séparées par des blancs un peu plus étroits. Dans la fente qui se trouve juste au niveau du regard vient se placer une touffe d'arbres au feuillage rigide, à la limite de la plantation, là où commence la brousse jaunâtre. De multiples troncs s'élancent en faisceau divergent, d'où partent des branches garnies de feuilles vert foncé, ovales, qui semblent dessinées une à une malgré leur petitesse relative et leur très grand nombre. A la base, la réunion des troncs forme une souche unique, d'un diamètre colossal, sculptée de côtes en saillie qui s'évasent en arrivant au sol.

La lumière décroît rapidement. Le soleil a disparu derrière l'éperon rocheux qui termine la plus importante avancée du plateau. Il est six heures et demie. Le bruit assourdissant des criquets emplit la vallée entière – crissement continu, sans progression, sans nuance. Par derrière, toute la maison est vide depuis le lever du jour.

A . . . ne doit pas rentrer pour le dîner, qu'elle prend en ville avec Franck avant de se remettre en route. Ils seront de retour vers minuit, probablement.

La terrasse est vide, elle aussi. Aucun des fauteuils de repos n'a été porté dehors, ce matin, non plus que la table basse qui sert pour l'apéritif et le café. Huit points luisants marquent sur les dalles l'emplacement des deux fauteuils, sous la première fenêtre du bureau.

Vues de l'extérieur, les jalousies ouvertes montrent le tranchant dépeint de leurs lames parallèles, où de menues écailles sont à moitié soulevées çà et là, que l'ongle détacherait sans mal. A l'intérieur, dans la chambre, A ... se tient debout contre la fenêtre et regarde par une des fentes, vers la terrasse, la balustrade à jours et les bananiers sur l'autre versant.

Entre la peinture grise qui subsiste,★ pâlie par l'âge, et le bois devenu gris sous l'action de l'humidité, paraissent de petites sur-faces d'un brun rougeâtre – la couleur naturelle du bois – là où celui-ci vient d'être laissé à découvert par la chute récente de nouvelles écailles. A l'intérieur, dans la chambre, A ... se tient de-bout contre la fenêtre et regarde par une des fentes.

L'homme est toujours immobile, penché vers l'eau boueuse, sur le pont en rondins recouverts de terre. Il n'a pas bougé d'une ligne : accroupi, la tête baissée, les avant-bras s'appuyant sur les cuisses, les deux mains pendant entre les genoux écartés. Il a l'air de guetter quelque chose, au fond de la petite rivière – une bête, un reflet, un objet perdu.

Devant lui, dans la parcelle qui longe l'autre rive, plusieurs ré-gimes semblent mûrs pour la coupe, bien que la récolte n'ait pas encore commencé, dans ce secteur. Au bruit d'un camion qui change de vitesse, sur la grand-route, de l'autre côté de la maison, répond de ce côté-ci le grincement d'une crémone. La première fenêtre de la chambre s'ouvre à deux battants.

Le buste de A ... s'y encadre, ainsi que la taille et les hanches. Elle dit «Bonjour», du ton enjoué de quelqu'un qui, ayant bien dormi, se réveille l'esprit vide et dispos – ou de quelqu'un qui préfère ne pas montrer ses préoccupations, arborant par principe toujours le même sourire.

Elle se retire aussitôt vers l'intérieur, pour reparaître un peu plus loin quelques secondes après – dix secondes peut-être, mais à une distance comprise entre deux et trois mètres, en tout cas – dans une nouvelle embrasure, à la place des jalousies de la seconde fenêtre dont les quatre séries de lames viennent de s'effacer en arrière. Là elle s'attarde davantage, en profil perdu,★ tournée vers le pilier d'angle de la terrasse, qui soutient l'avancée du toit.

Elle ne peut apercevoir, de son poste d'observation, que la verte étendue des bananiers, le bord du plateau et, entre les deux, une bande de brousse inculte, hautes herbes jaunies parsemées d'arbres en petit nombre.

Sur le pilier lui-même, il n'y a rien à voir non plus, si ce n'est la peinture qui s'écaille et, de temps à autre, à intervalles imprévisibles et à des niveaux variés, un lézard gris-rose dont la présence intermittente résulte de déplacements si soudains que personne ne saurait dire d'où il est venu, ni où il est allé quand il n'est plus visible.

A ... s'est effacée de nouveau. Pour la retrouver, le regard doit se placer dans l'axe de la première fenêtre : elle est devant la grosse commode, contre la cloison du fond. Elle entrouvre le tiroir supérieur et se penche vers la partie droite du meuble, où elle cherche longuement un objet qui lui échappe, fouillant à deux mains, déplaçant des paquets et des boîtes et revenant sans cesse au même point, à moins qu'elle ne se livre à un simple rangement de ses affaires.

Dans la position qu'elle occupe, entre la porte du couloir et le grand lit, d'autres rayons peuvent aisément l'atteindre, depuis la terrasse, traversant l'une ou l'autre des trois embrasures béantes.

Issu d'un point de la balustrade situé à deux pas de l'angle, un trajet oblique pénètre ainsi dans la chambre par la seconde fenêtre et coupe en biais le pied du lit pour aboutir à la commode. A ..., qui s'est redressée, pivote sur elle-même en direction de la lumière et disparaît immédiatement derrière le pan de mur qui sépare les deux baies et masque le dos de la grande armoire.

Elle émerge, un instant plus tard, du montant gauche de la première fenêtre, devant la table à écrire. Elle ouvre le sous-main de cuir et s'incline en avant, le haut des cuisses appliqué contre le bord de la table. Le corps, élargi au niveau des hanches, empêche à nouveau de suivre ce que font les mains, ce qu'elles tiennent, ce qu'elles prennent, ou ce qu'elles mettent.

A ... se présente de trois quarts arrière, comme précédemment, quoique du côté opposé. Elle a gardé son déshabillé matinal, mais sa chevelure, libre encore de tous enroulements ou chignons, est déjà peignée avec soin; elle brille au grand jour, lorsque la tête en tournant déplace les boucles souples, lourdes, dont la masse noire retombe sur la soie blanche de l'épaule, tandis que la silhouette s'éloigne derechef vers le fond de la pièce en longeant la cloison du couloir.

Le sous-main de cuir, dans l'axe du grand côté de la table, est fermé, comme d'habitude. Dominant la surface de bois verni, au lieu de la chevelure, il n'y a plus que le calendrier des postes où seul le bateau blanc se détache de la grisaille, sur la paroi en retrait.

La chambre est maintenant comme vide. A . . . peut avoir ouvert sans bruit la porte du couloir et être sortie de la pièce; mais il demeure plus probable qu'elle s'y trouve toujours, hors du champ de vision, dans la zone blanche comprise entre cette porte, la grande armoire et le coin de la table où un rond de feutre constitue le dernier objet visible. En plus de l'armoire, il n'y a qu'un meuble (un fauteuil) dans ce refuge. Cependant l'issue masquée par laquelle il communique avec le couloir, le salon, la cour, la grand-route, étend à l'infini ses possibilités de fuite.

Le buste de A . . . s'encadre dans l'embrasure en perspective fuyante de la troisième fenêtre, sur le pignon ouest de la maison. Elle a donc dû, à un moment, quelconque, passer devant le pied du lit, à découvert, avant de pénétrer dans la seconde zone blanche entre la table-coiffeuse et le lit.

Elle est là, immobile, aussi bien depuis très longtemps. Son profil se découpe avec netteté sur un fond plus sombre. Ses lèvres sont très rouges; dire si elles ont été fardées – ou non – ne serait pas commode, puisque c'est de toute façon leur teinte naturelle. Les yeux sont grands ouverts, posés sur la ligne verte des bananiers, qu'ils parcourent lentement en se rapprochant du pilier d'angle, dans une rotation progressive de la tête et du cou.

Sur la terre nue du jardin, l'ombre du pilier fait maintenant un angle de quarante-cinq degrés avec l'ombre ajourée de la balustrade, la branche ouest de la terrasse et le pignon de la maison. A . . . n'est plus à la fenêtre. Ni celle-ci ni aucune des deux autres ne révèle sa présence dans la pièce. Et il n'y a plus de raison pour la supposer dans l'une quelconque des trois zones blanches, plutôt que dans une autre. Deux d'entre elles offrent d'ailleurs une sortie facile: la première vers le couloir central, la dernière vers la salle de bains, dont l'autre porte ramène ensuite au couloir, à la cour, etc. . . . La chambre est de nouveau comme vide.

A gauche, au bout de cette branche ouest de la terrasse, le cuisinier noir est en train de peler des ignames au-dessus d'une bassine en tôle. Il est à genoux, assis sur ses talons, la bassine entre les cuisses. La lame brillante et pointue du couteau détache une étroite épluchure sans fin du long tubercule jaune, qui tourne sur lui-même d'un mouvement régulier.

A la même distance, mais dans une direction perpendiculaire, Franck et A . . . sont en train de boire l'apéritif, renversés en arrière dans leurs deux fauteuils coutumiers, sous la fenêtre du bureau. «Ce qu'on est bien là-dedans!» Franck tient son verre de la main droite, posé sur l'extrémité de l'accoudoir. Les trois autres bras sont étendus pareillement le long des bandes de cuir parallèles, mais leurs trois mains s'appliquent par la paume contre le haut du montant, à l'endroit où le cuir se recourbe sur l'arête avant de s'achever en pointe, juste au-dessous des trois gros clous à tête bombée qui le fixent au bois rouge.

Deux des quatre mains portent au même doigt le même anneau d'or, large et plat: la première à gauche et la troisième, qui enserre le verre tronconique à moitié rempli d'un liquide doré, la main droite de Franck. Le verre de A . . . repose à côté d'elle sur la petite table. Ils parlent, à bâtons rompus,* du voyage en ville qu'ils ont l'intention de faire ensemble, dans le courant de la semaine suivante, elle pour diverses courses, lui pour se renseigner au sujet du nouveau camion qu'il a projeté d'acquérir.

Ils ont déjà fixé l'heure du départ ainsi que celle du retour, supputé la durée approximative des trajets, calculé le temps dont ils disposeront pour leurs affaires. Il ne leur reste plus qu'à se mettre d'accord sur le jour qui conviendra le mieux. C'est bien naturel que A . . . veuille profiter de l'occasion offerte, qui lui permet sans déranger personne de faire la route dans des conditions acceptables. La seule chose étonnante serait, plutôt, qu'un arrangement semblable ne se soit pas déjà produit dans des circonstances analogues, auparavant, un jour ou l'autre.

Maintenant les doigts effilés de la seconde main jouent avec les larges têtes nickelées des clous: la pulpe de la dernière phalange de l'index, du médius et de l'annulaire passe et repasse sur les trois surfaces lisses et bombées. Le médius est tendu, verticalement, suivant l'axe de la pointe triangulaire du cuir; l'annulaire et l'index sont à demi repliés, afin d'atteindre les deux clous supérieurs. Bientôt, à soixante centimètres sur la gauche, les trois mêmes doigts fins commencent à se livrer au même exercice. Le plus à gauche de ces six doigts est celui qui porte l'anneau.

«Alors Christiane ne veut pas venir avec nous? C'est dommage...

— Non, elle ne peut pas, dit Franck, à cause de l'enfant.

— Sans compter qu'il fait nettement plus chaud sur la côte.

— Plus lourd, oui, c'est vrai

— Ça lui aurait pourtant changé les idées. Comment est-elle, aujourd'hui?

— Toujours la même chose», dit Franck.

La voix grave du second chauffeur, qui chante une monodie indigène, parvient jusqu'aux trois fauteuils groupés au milieu de la terrasse. Quoique lointaine, cette voix est parfaitement reconnaissable. Contournant la maison par ses deux pignons à la fois, elle arrive aux oreilles en même temps par la droite et la gauche.

«Toujours la même chose», dit Franck.

A... insiste, pleine de sollicitude:

«En ville, elle aurait pu voir un médecin.»

Franck soulève sa main gauche du support de cuir tendu, mais sans en détacher le coude, et la laisse ensuite retomber, dans une chute plus lente, jusqu'à son point de départ.

«Elle en a déjà vu assez comme ça. Toutes ces drogues qu'elle prend, c'est comme si elle...

— Il faut pourtant bien essayer quelque chose.

— Puisqu'elle prétend que c'est le climat!

— On parle de climat, mais ça ne signifie rien.

— Les crises de paludisme.

— Il y a la quinine...»

Cinq ou six phrases sont alors échangées sur les doses respectives de quinine nécessaires dans les différentes zones tropicales, selon l'altitude, la latitude, la proximité de la mer, la présence de lagunes, etc.... Puis Franck revient aux effets fâcheux que produit la quinine sur l'héroïne du roman africain★ que A . . . est en train de lire. Il fait ensuite une allusion – peu claire pour celui qui n'a même pas feuilleté le livre – à la conduite du mari, coupable au moins de négligence selon l'avis des deux lecteurs. La phrase se terminait par «savoir attendre», ou «à quoi s'attendre», ou «la voir se rendre», «là dans sa chambre», «le noir y chante», ou n'importe quoi.

Mais Franck et A . . . sont déjà loin. Il est à présent question d'une jeune femme blanche – est-ce la même que tout à l'heure, ou bien sa rivale, ou quelque figure secondaire? – qui accorde ses faveurs à un indigène, peut-être à plusieurs. Franck paraît sur le point de lui en faire grief.★

«Quand même, dit-il, coucher avec des nègres . . . »

A . . . se tourne vers lui, lève le menton, demande avec un sourire:

«Eh bien, pourquoi pas?»

Franck sourit à son tour, mais il ne répond rien, comme s'il était gêné par le ton que prend leur dialogue – devant un tiers. Le mouvement de sa bouche s'achève en une sorte de grimace.

La voix du chauffeur s'est déplacée. Elle arrive maintenant par le seul côté est; elle provient vraisemblablement des hangars, à droite de la grande cour.

Le poème ressemble si peu, par moment, à ce qu'il est convenu d'appeler une chanson, une complainte, un refrain, que l'auditeur occidental est en droit de se demander s'il ne s'agit pas de tout autre chose. Les sons, en dépit d'évidentes reprises, ne semblent liés par aucune loi musicale. Il n'y a pas d'air, en somme, pas de mélodie, pas de rythme. On dirait que l'homme se contente d'émettre des lambeaux sans suite pour accompagner son travail. D'après les directives qu'il a reçues le matin même, ce travail doit avoir pour objet l'imprégnation de rondins neufs avec une solution insecticide, afin de les garantir contre l'action des termites avant de les mettre en place.

«Toujours pareil, dit Franck.

– Encore des ennuis mécaniques?

– Le carburateur, cette fois-ci . . . Tout le moteur serait à changer.»

Sur la barre d'appui de la balustrade, un margouillat se maintient depuis son apparition dans une immobilité absolue : la tête dressée de côté vers la maison, le corps et la queue dessinant un S aux courbes aplaties. L'animal a l'air empaillé.

«Il a une belle voix, ce garçon», dit A..., au bout d'un assez long silence.

Franck reprend :

«Nous partirons de bonne heure.»

A... réclame des précisions. Franck les donne et s'inquiète de savoir si c'est trop tôt pour sa passagère.

«Au contraire, dit-elle, c'est très amusant.»

Ils boivent à petites gorgées.

«Si tout va bien, dit Franck, nous pourrions être en ville vers dix heures et avoir déjà pas mal de temps avant le déjeuner.

— Bien sûr, je préfère aussi, répond A... dont la mine est redevenue sérieuse.

— Ensuite je n'aurai pas trop de tout l'après-midi* pour terminer mes visites aux divers agents ; et prendre aussi l'avis du garagiste chez qui je vais toujours, Robin, vouz savez, sur le front de mer. Nous rentrerons aussitôt après dîner.»

Les précisions qu'il fournit sur son emploi du temps futur, pour cette journée en ville, seraient plus naturelles si elles venaient satisfaire quelque demande d'un interlocuteur ; personne n'a pourtant manifesté le moindre intérêt, aujourd'hui, concernant l'achat de son camion neuf. Et pour un peu il établirait à haute voix – à très haute voix – le détail de ses déplacements et de ses entrevues, mètre par mètre, minute par minute, en appuyant à chaque fois sur la nécessité de sa conduite. A..., en revanche, ne fait pas le plus petit commentaire quant à ses propres courses, dont la durée globale sera le même, cependant.

Pour le déjeuner Franck est encore là,* loquace et affable. Christiane cette fois ne l'a pas accompagné. Ils se sont presque disputés, la veille, à propos de la forme d'une robe.

Après l'exclamation habituelle, au sujet de la sensation délassante provoquée par le fauteuil, Franck se met à raconter, avec un grand luxe de détails, une histoire de voiture en panne. C'est la conduite-intérieure qui est en cause, et non le camion ; or, presque neuve encore, elle ne donne pas souvent d'ennuis à son propriétaire.

Celui-ci devrait, à ce moment, faire une allusion à l'incident analogue qui s'est produit en ville lors de son voyage avec A . . ., incident sans gravité, mais qui a retardé d'une nuit entière leur retour à la plantation. Le rapprochement serait plus que normal. Franck s'abstient de le faire.

A . . . considère son voisin avec une attention accrue, depuis plusieurs secondes, comme si elle attendait une phrase sur le point d'être prononcée. Mais elle ne dit rien, elle non plus, et la phrase ne vient pas. Ils n'ont d'ailleurs jamais reparlé de cette journée, de cet accident, de cette nuit – du moins lorsqu'ils ne sont pas seuls ensemble.

Franck récapitule à présent la liste des pièces à démonter pour l'examen complet d'un carburateur. Il s'acquitte de cet inventaire exhaustif avec un souci d'exactitude qui l'oblige à mentionner une foule d'éléments allant pourtant de soi; il va presque jusqu'à décrire le dévissage d'un écrou, tour après tour, et de même ensuite pour l'opération inverse.

«Vous avez l'air très fort en mécanique, aujourd'hui», dit A . . .

Franck se tait brusquement, au beau milieu de son discours. Il regarde les lèvres et les yeux, à sa droite, sur lesquels un sourire tranquille, comme dépourvu de sens, a l'air éternisé par un cliché photographique. Sa propre bouche est demeurée entrouverte, peut-être même au milieu d'un mot.

«En théorie, je veux dire», précise A . . . sans se départir de son ton le plus aimable.

Franck détourne les yeux vers la balustrade à jours, les derniers îlots de peinture grise, le lézard empaillé, le ciel immobile.

«Je commence à avoir l'habitude, dit-il, avec le camion. Tous les moteurs se ressemblent.»

Ce qui est faux, de toute évidence. Le moteur de son gros camion, en particulier, présente peu de points communs avec celui de sa voiture américaine.

«Très juste, dit A . . . ; c'est comme les femmes.»

Mais Franck paraît n'avoir pas entendu. Il garde les yeux fixés sur le margouillat gris-rose – en face de lui – dont la peau molle, sous la mâchoire inférieure, bat imperceptiblement.

A . . . termine son verre d'eau gazeuse dorée, le repose vide sur la table et se remet à caresser du bout de ses six doigts les trois gros clous à tête bombée qui garnissent chaque montant de son fauteuil.

Sur ses lèvres closes flotte un demi-sourire de sérénité, de rêve, ou d'absence. Comme il est immuable et d'une régularité trop accomplie, il peut aussi bien être faux, de pure commande, mondain, ou même imaginaire.

Le lézard, sur la barre d'appui, est maintenant dans l'ombre; ses couleurs sont devenues ternes. L'ombre portée du toit coïncide exactement avec les contours de la terrasse: le soleil est au zénith.

Franck, venu juste en passant, déclare qu'il ne veut pas s'attarder davantage. Il se lève en effet de son fauteuil et pose sur la table basse le verre qu'il vient de finir d'un trait. Il s'arrête avant de s'engager dans le couloir qui traverse la maison; il se retourne à demi, pour saluer ses hôtes. La même grimace, mais plus rapide, passe de nouveau sur ses lèvres. Il quitte la scène, vers l'intérieur.

A . . . ne s'est pas levée. Elle reste étendue dans son fauteuil, les bras allongés sur les accoudoirs, les yeux grands ouverts face au ciel vide. A côté d'elle, près du plateau chargé des deux bouteilles et du seau à glace, repose le roman prêté par Franck, qu'elle lit depuis la veille, roman dont l'action se déroule en Afrique.

Sur la barre d'appui de la balustrade, le lézard a disparu, laissant à sa place un îlot de peinture grise qui affecte une forme toute semblable: un corps étiré dans le sens des fibres du bois, une queue deux fois tordue, quatre pattes assez courtes et la tête tournée vers la maison.

Dans la salle à manger, le boy n'a disposé que deux couverts sur la table carrée: l'un vis-à-vis de la porte ouverte de l'office et du long buffet, l'autre du côté des fenêtres. C'est là que A . . . s'assied, le dos à la lumière. Elle mange peu, selon son habitude. Durant presque tout le repas elle reste sans bouger, très droite sur sa chaise, les deux mains aux doigts effilés encadrant une assiette aussi blanche que la nappe, le regard arrêté sur les restes brunâtres du mille-pattes écrasé, qui marquent la peinture nue devant elle.

Ses yeux sont très grands, brillants, de couleur verte, bordés de cils longs et courbes. Ils paraissent toujours se présenter de face, même quand le visage est de profil. Elle les maintient continuellement dans leur plus large ouverture, en toutes circonstances, sans jamais battre des paupières.

Après le déjeuner elle retourne dans son fauteuil, au centre de la terrasse, à gauche du fauteuil vide de Franck. Elle prend son livre, que le boy a laissé sur la table lorsqu'il en a ôté le plateau; elle cherche l'endroit où sa lecture a été interrompue par l'arrivée de Franck, au premier quart de l'histoire environ. Mais, ayant retrouvé la page, elle pose le volume ouvert, à l'envers, sur ses genoux, et demeure là sans rien faire, le dos appuyé en arrière contre les sangles de cuir.

De l'autre côté de la maison, on entend un camion chargé qui descend la grand-route, vers le bas de la vallée, la plaine et le port – où le navire blanc est amarré le long du wharf.

La terrasse est vide, toute la maison aussi. L'ombre portée du toit coïncide exactement avec les contours de la terrasse: le soleil est au zénith. La maison ne projette plus la moindre bande noire sur la terre fraîchement labourée du jardin. Le tronc des maigres orangers, de même, est cloué sur place.

Ce n'est pas le bruit d'un camion que l'on entend, mais bien celui d'une conduite-intérieure, en train de descendre le chemin depuis la grand-route, vers la maison.

Dans le battant gauche, ouvert, de la première fenêtre de la salle à manger, au centre du carreau médian, l'image réfléchie de la voiture bleue vient de s'arrêter au milieu de la cour. A . . . et Franck en descendent en même temps, lui d'un côté, elle de l'autre, par les deux portières avant. A . . . tient à la main un paquet de très petite taille, de forme incertaine, qui s'efface par instant tout à fait, absorbé par un défaut du verre.

Les deux personnages s'approchent aussitôt l'un de l'autre, devant le capot de la voiture. La silhouette de Franck, plus massive, masque entièrement celle de A . . . , située par derrière, sur le trajet du même rayon. La tête de Franck s'incline en avant.

Les irrégularités de la vitre faussent le détail du geste. Les fenêtres du salon donneraient, du même spectacle, une vue directe et sous un angle plus commode: les deux personnages placés l'un à côté de l'autre.

Mais ils sont déjà séparés, marchant côte à côte vers la porte d'entrée de la maison, sur le sol caillouteux de la cour. La distance entre eux est d'un mètre au moins. Sous le soleil exact de midi, ils ne projettent pas d'ombre à leur pied.

Ils sourient en même temps, du même sourire, quand la porte s'ouvre. Oui, ils sont en parfaite santé. Non, ils n'ont pas eu d'accident, juste un petit incident de moteur qui les a contraints de passer la nuit à l'hôtel, en attendant l'ouverture d'un garage.

Après un rapide apéritif, Franck, qui a grand hâte de retrouver sa femme, se lève et s'en va, dans son complet blanc défraîchi par le voyage. Ses pas résonnent sur les carreaux du couloir.

A . . . se retire aussitôt dans sa chambre, prend un bain, change de robe, déjeune de bon appétit, retourne s'asseoir sur la terrasse, sous la fenêtre du bureau dont les jalousies, aux trois quarts baissées, ne permettent d'apercevoir que le haut de ses cheveux.

Le soir la trouve dans la même posture, dans le même fauteuil, devant le même lézard en pierre grise. La seule différence est que le boy a rajouté le quatrième siège, celui qui est moins confortable, fait de toile tendue sur des tiges métalliques. Le soleil s'est caché derrière l'éperon rocheux qui termine, à l'ouest, la plus importante avancée du plateau.

La lumière décroît rapidement. A . . ., qui ne voit plus assez clair pour continuer sa lecture, ferme son roman et le repose sur la petite table, à côté d'elle (entre les deux groupes de fauteuils: la paire qui est adossée au mur, sous la fenêtre, et les deux autres, dissemblables, placés de biais, plus près de la balustrade). Pour marquer la page, le rebord de la jaquette vernie protégeant la couverture a été repliée à l'intérieur du livre, au premier quart environ de son épaisseur.

A . . . demande ce qu'il y a de nouveau, aujourd'hui, sur la plantation. Il n'y a rien de nouveau. Il n'y a toujours que les menus incidents de culture qui se reproduisent périodiquement, dans l'une ou l'autre pièce, selon le cycle des opérations. Comme les parcelles sont nombreuses et que l'ensemble est conduit de manière à échelonner la récolte sur les douze mois de l'année, tous les éléments du cycle ont lieu en même temps chaque jour, et les menus incidents périodiques se répètent aussi tous à la fois, ici ou là, quotidiennement.

A... fredonne un air de danse, dont les paroles demeurent inintelligibles. C'est peut-être une chanson à la mode, qu'elle a entendue en ville, au rythme de laquelle peut-être elle a dansé.

Le quatrième fauteuil était superflu: il reste vacant toute la soirée, isolant encore un peu plus le troisième siège en cuir des deux autres. Franck est en effet venu seul. Christiane n'a pas voulu abandonner l'enfant, qui avait un peu de fièvre. Il n'est pas rare, à présent, que son mari arrive ainsi sans elle pour dîner. Ce soir, pourtant, A... paraissait l'attendre; du moins avait-elle fait mettre quatre couverts. Elle donne l'ordre d'enlever tout de suite celui qui ne doit pas servir.

Bien qu'il fasse nuit noire maintenant, elle a demandé de ne pas apporter les lampes, qui – dit-elle – attirent les moustiques. Seules se devinent, dans l'obscurité complète, les taches plus pâles formées par une robe, une chemise blanche, une main, deux mains, quatre mains bientôt (les yeux s'accoutumant au manque de lumière)

Personne ne parle. Rien ne bouge. Les quatre mains sont alignées en bon ordre, parallèlement au mur de la maison. De l'autre côté de la balustrade, vers l'amont, il n'y a que le ciel sans étoiles et le bruit assourdissant des criquets.

Au cours du dîner, Franck et A... font le projet de descendre ensemble en ville, un jour prochain, pour des affaires séparées. Leur conversation revient à cet éventuel voyage, après le repas, tandis qu'ils boivent le café sur la terrasse.

Le cri plus violent d'un animal nocturne ayant signalé une présence toute proche, dans le jardin même, à l'angle sud-est de la maison, Franck se relève d'un mouvement rapide et se dirige à grands pas de ce côté; ses semelles de caoutchouc ne font aucun bruit sur les dalles. En quelques secondes, la chemise blanche s'est effacée complètement dans l'obscurité.

Comme Franck ne dit rien et tarde à reparaître, A..., croyant sans doute qu'il aperçoit quelque chose, se dresse aussi, souple, silencieuse, et s'éloigne dans le même sens. Sa robe est engloutie à son tour par la nuit opaque.

Au bout d'un temps assez long, aucune parole n'a encore été prononcée à voix suffisamment haute pour franchir une distance de dix mètres. Il pourrait aussi bien n'y avoir plus personne dans cette direction.

Franck est parti, maintenant. A . . . s'est retirée dans sa chambre. L'intérieur de celle-ci est éclairé, mais les jalousies sont bien closes : il ne filtre entre les lames, çà et là, que de maigres traces de lumière.

Le cri plus violent d'une bête, aigu et bref, retentit à nouveau dans le jardin en contre-bas, au pied de la terrasse. Mais, cette fois, c'est du coin opposé, correspondant à la chambre, que le signal semblait provenir.

Il est impossible évidemment de rien distinguer, même en avançant les yeux le plus possible, le corps penché à l'extérieur par-dessus la balustrade, contre le pilier carré, le pilier qui soutient l'angle sud-ouest du toit.

Maintenant l'ombre du pilier se projette sur les dalles,* en travers de cette partie centrale de la terrasse, devant la chambre à coucher. La direction oblique du trait sombre indique, quand on le prolonge jusqu'au mur, la traînée rougeâtre qui a coulé le long de la paroi verticale depuis le coin droit de la première fenêtre, la plus proche du couloir.

Il s'en faut d'un mètre, à peu près, pour que l'ombre du pilier, pourtant déjà très longue, atteigne la petite tache ronde sur le carrelage. De celle-ci part un mince filet vertical, qui prend de l'importance à mesure qu'il gravit le soubassement de béton. Il remonte ensuite, à la surface du bois, de volige en volige, s'élargissant de plus en plus jusqu'à l'appui de la fenêtre. Mais la progression n'est pas constante : la disposition imbriquée des planches coupe le parcours d'une série de ressauts équidistants, où le liquide s'étale davantage avant de poursuivre son ascension. Sur l'appui lui-même, la peinture s'est écaillée en grande partie, postérieurement à la coulée, supprimant la trace rouge aux trois quarts.

La tache a toujours été là, sur le mur. Il n'est question de repeindre, pour l'instant, que les jalousies et la balustrade – cette dernière en jaune vif. Ainsi en a décidé A . . .

Elle est dans sa chambre, dont les deux fenêtres au midi ont été ouvertes. Le soleil en effet, très bas dans le ciel, chauffe déjà beaucoup moins ; et quand, avant de disparaître, il éclairera directement la façade, ce ne sera que pour quelques instants, sous une incidence rasante, avec des rayons privés de force tout à fait.

A... se tient immobile, debout devant la table à écrire; elle est tournée vers la cloison; elle se présente donc de profil dans l'embrasure béante. Elle est en train de relire la lettre reçue d'Europe au dernier courrier. L'enveloppe décachetée forme un losange blanc sur la table vernie, à proximité du sous-main de cuir et du stylo à capuchon d'or. La feuille de papier, qu'elle étale en la tenant à deux mains, porte encore la trace bien marquée du pliage.

Ayant terminé sa lecture, au bas de la page, A... pose la lettre à côté de son enveloppe, s'assoit sur la chaise, ouvre le sous-main. De la grande poche de ce dernier, elle extrait une feuille de papier, du même format mais vierge, qu'elle place sur le buvard vert agencé à cette fin. Elle ôte alors le capuchon du stylo et penche la tête pour se mettre à écrire.

Les boucles noires et brillantes, libres sur les épaules, tremblent légèrement tandis que la plume avance. Bien que le bras lui-même, ni la tête, n'aient l'air agités du moindre mouvement, la chevelure, plus sensible, capte les oscillations du poignet, les amplifie, les traduit en frémissements inattendus qui allument des reflets roux du haut en bas de la masse mouvante.

Les propagations et interférences continuent à développer leurs jeux, lorsque la main s'est arrêtée. Mais la tête se redresse et commence, à pivoter, lentement, sans à-coup, vers la fenêtre ouverte. Les grands yeux supportent sans cligner ce passage à la lumière directe du dehors.

Tout en bas,* au fond de la vallée, devant la parcelle taillée en trapèze où les rayons obliques du soleil découpent chaque panache, chaque feuille de bananier, avec une netteté extrême, l'eau de la petite rivière montre une surface plissée, qui témoigne de la rapidité du courant. Il faut cet éclairage de fin du jour pour mettre ainsi en relief les chevrons successifs, les croix, les hachures, que dessinent les multiples rides enchevêtrées. Le flot s'écoule, mais la surface reste comme figée dans ces lignes immuables.

L'éclat, de même, en est fixe et donne à la nappe liquide un aspect plus transparent. Mais il n'y a personne pour en juger sur place, depuis le pont par exemple. Personne n'est visible, non plus, aux alentours. Aucune équipe n'a affaire dans ce secteur, pour le moment. La journée de travail est d'ailleurs terminée.

Sur la terrasse, l'ombre du pilier s'est allongée encore. Elle a tourné en même temps. Elle atteint presque maintenant la porte d'entrée, qui marque le milieu de la façade. La porte est ouverte. Les carreaux du couloir sont ornés de hachures en chevrons, comparables à celles du ruisseau, quoique plus régulières.

Le couloir conduit tout droit vers l'autre porte, celle qui donne sur la cour d'arrivée. La grosse voiture bleue est arrêtée au centre. La passagère en descend et se dirige aussitôt vers la maison, sans être incommodée par le sol caillouteux, malgré ses chaussures à talons hauts. Elle est allée faire une visite à Christiane, et Franck l'a reconduite jusque chez elle.

Celui-ci est assis dans son fauteuil, sous la première fenêtre du bureau. L'ombre du pilier s'avance vers lui; après avoir traversé en diagonale plus d'une moitié de la terrasse, longé la chambre sur toute sa largeur et dépassé la porte du couloir, elle arrive à présent jusqu'à la table basse où A . . . vient de déposer son livre. Franck ne fait qu'une brève halte avant de rentrer chez lui, ayant fini, lui aussi, sa journée.

Il est presque l'heure de l'apéritif et A . . . n'a pas attendu davantage pour appeler le boy, qui apparaît à l'angle de la maison, portant le plateau avec les deux bouteilles, trois grands verres et le seau à glace. Le chemin qu'il suit, sur les dalles, est sensiblement parallèle au mur et converge avec le trait d'ombre au niveau de la table, ronde et basse, où il place le plateau avec précaution, près du roman à couverture vernie.

C'est ce dernier qui fournit le sujet de la conversation. Les complications psychologiques mises à part, il s'agit d'un récit classique sur la vie coloniale, en Afrique, avec description de tornade, révolte indigène et histoires de club. A . . . et Franck en parlent avec animation, tout en buvant à petites gorgées le mélange de cognac et d'eau gazeuse servi par la maîtresse de maison dans les trois verres.

Le personnage principal du livre* est un fonctionnaire des douanes. Le personnage n'est pas un fonctionnaire, mais un employé supérieur d'une vieille compagnie commerciale. Les affaires de cette compagnie sont mauvaises, elles évoluent rapidement vers l'escroquerie. Les affaires de la compagnie sont très bonnes. Le personnage principal – apprend-on – est malhonnête. Il est honnête, il essaie de rétablir une situation compromise par son prédécesseur, mort dans un accident de voiture. Mais il n'a pas eu de prédécesseur, car la compagnie est de fondation toute récente; et ce n'était pas un accident. Il est d'ailleurs question d'un navire (un grand navire blanc) et non de voiture.

Franck, à ce propos, se met à raconter une anecdote personnelle de camion en panne. A . . . , comme la politesse l'exige, s'inquiète de détails prouvant l'attention qu'elle porte à son hôte, qui bientôt se lève et prend congé, afin de regagner sa propre plantation, un peu plus loin vers l'est.

A . . . s'accoude à la balustrade. De l'autre côté de la vallée, le soleil éclaire de ses rayons horizontaux les arbres isolés qui parsèment la brousse, au-dessus de la zone cultivée. Leurs ombres très longues barrent le terrain de gros traits parallèles.

La rivière, au creux de la vallée, s'obscurcit. Déjà le versant nord ne reçoit plus aucun rayon. Le soleil, à l'ouest, s'est caché derrière l'éperon rocheux. A contrejour, la découpure de la paroi de pierre se détache un instant avec précision sur un ciel violemment éclairé: une ligne abrupte, à peine bombée, qui se raccorde au plateau par une saillie en pointe vive, suivie d'un second ressaut moins accentué.

Très vite le fond lumineux est devenu plus terne. Au flanc du vallon, les panaches des bananiers s'estompent dans le crépuscule.

Il est six heures et demie.

La nuit noire et le bruit assourdissant des criquets s'étendent de nouveau, maintenant, sur le jardin et la terrasse, tout autour de la maison.

TABLE

Notes

p. 4 **comme la mise en culture de ce secteur est assez récente:** 'since this sector has not been under cultivation for long'.

un chemin carrossable: 'a dirt road'.

domine d'au moins deux mètres le jardin: 'stands at least six feet above the garden'.

p. 9 **de trois quarts arrière:** 'three-quarters of the way behind him'.

son comportement, néanmoins, ne passe pas inaperçu: note the insistence on Franck's physical presence. **Pour plus de sûreté encore, il suffit de lui demander:** 'to be still more certain, all one has to do is ask her . . .'. This phrase, and the phrase on p. 10 – *Il devrait pourtant savoir que* – are two examples of the way in which the narrator conveys his own part in the conversation.

p. 10 **Fort de:** 'on the strength of'.

p. 11 **à contre-jour:** 'with the light behind him'.
les jours trop étroits: 'the too narrow apertures'.
en dents de scie: 'serrated'.

p. 13 **Le soleil . . . prend la vallée presque en enfilade:** 'the sun . . . rakes the valley from the side'.

Juste en face de la maison: the long description of the banana plantation is remarkable for its geometric precision, and for its apparent objectivity. The husband is emotionally uninvolved with it (hence the lack of colour) and unable to penetrate beneath the surface of what he sees.

ou peu s'en faut: 'or virtually so'.

p. 14   **entre à son tour en jeu:** 'also begins to take effect'.

p. 16   **L'homme se tient toujours immobile:** an example of the way in which the husband, unable to sustain his wife's gaze, turns his head away. She has just looked towards the terrace from where he has been watching her.

p. 17   **Sur le pont de rondins:** Again the husband turns away. The beginning of the next paragraph shows him watching A. again.

p. 18   **pour reprendre une maille filée:** 'to mend a run in her stocking'.
Elle s'est confectionné un chignon bas: 'she has arranged her hair in a low knot'.

p. 19   **comme si elle était tenue d'appeler:** 'as if he expected her to call'.
Elle esquisse une moue rapide: 'she makes a face'.

p. 20   **Pour se rendre à l'office:** the change of scene indicates that the husband has left the terrace to fetch the ice.
Dès la porte franchie: 'once across the threshold'.
A droite la porte du bureau est entrebâillée: the husband goes into the office in order to look out onto the terrace and watch A. and Franck.

p. 22   **... fait les frais de leur conversation:** 'provides the subject of their conversation'.

p. 23 **Le moment est venu de s'intéresser à la santé de Christiane:** the husband puts a question to Franck concerning Christiane's health. The scene has changed, for now the three are eating dinner. In the following pages there are several shifts in time, reflecting the preoccupations of the husband: a detailed description of the stain left by the centipede is followed by the scene of A.'s return with Franck from their trip to town. Then on p. 25 Franck at dinner declares his intention of making the trip, and A.'s eagerness to go with him takes the husband's mind back to the scene of the centipede's first appearance with which this section closes.

p. 25 **le kilomètre soixante:** 'the sixty kilometre marker'.

p. 26 **nous pouvons être rentrés dans la nuit:** 'we can be back the same night'.

p. 27 **qui tient du souffle et du crépitement:** 'something between the sound of a breath and a crackle'.

p. 29 **sous l'incidence rasante:** 'because of the oblique light'.

p. 30 **la peinture immaculée n'offre pourtant pas la moindre prise au regard:** this is an example of how the husband's state of mind is exteriorized by Robbe-Grillet: although it is stated on p. 29 that the stain is barely visible, here it is non-existent: the husband's jealousy is diminished due to the absence of Franck.

p. 31 **La grosse conduite-intérieure bleue de Franck:** there begins here a repetition of the scene of A.'s arrival back from town (first described in the second section); this scene is brought to the husband's mind by the mention of the window through which he witnesses the scene. In this version the husband refers to A.'s hair as being newly washed – an example of the way in which his imagination deforms reality (this section having opened with a long description of A. brushing her hair after having washed it).

p. 32   **Le battant pivote sans grincer sur ses gonds bien huilés:** a repetition of the phrase used on p. 20, again showing that the husband has gone into the office, this time to watch A. as she goes into her room.

p. 33   **Immobile, elle regarde vers la vallée:** a shift in time. In the office the husband has been looking at a photograph of A. taken on a café terrace, and his mind is transported to the scene of A. and Franck sitting close to each other on the terrace of the house (as in the second section).

   . . . sans passer par le couloir: the husband has left the window from which he has been watching A. and Franck (as in the second section) as he fears that A. might have heard him moving behind her.

p. 34   **Les fenêtres de sa chambre sont encore fermées:** another shift in time, occasioned by references to the morning sun on the eastern side of the terrace.

p. 35   **ce n'est pas de chance:** 'things don't happen like that'.

   un peu grisés: 'rather carried away'.

   Ils boivent à petites gorgées: this phrase, used for the third time, and with its overtones of complicity, marks here a transition in time: the ensuing conversation takes place after the return of A. and Franck.

p. 36   **pour la prendre à témoin:** 'for her support'.

   le moteur n'a plus rien voulu savoir: 'the engine just wouldn't start'.

   vous n'êtes pas un mécanicien bien étonnant: this phrase and variations of it occur several times later in the novel. For the husband it takes on a certain ambiguity, in that it might refer to Franck's skill as a lover.

p. 37 **Ça n'est pas de chance:** here 'it wasn't my lucky day'. This repetition of the phrase used about the African novel (on p. 35) throws doubt on the likelihood of Franck's explanation.
ce piètre hôtel: 'that wretched hotel'.

p. 38 **La table est mise pour trois personnes:** a shift in time. After A.'s return the husband has walked into the dining-room, and his mind goes back to past events. The following pages concern the planning of the trip.

p. 40 **De l'autre côté de la fenêtre fermée:** another time-shift. The husband turns away to look out of the window, and the time reverts to that of A.'s return.
dont l'empierrement inégal laisse affleurer des zones de cailloux: 'whose rough gravel gathers into heaps'.

p. 41 **C'est à ce moment qu'elle aperçoit la scutigère:** a change in time to the appearance of the centipede. The husband's mind is taken back by the mention of the hotel bedroom with its sexual overtones. This scene is followed by the scene of the planning of the journey.

p. 42 **Les criquets se sont tus, eux aussi:** this section ends with the repetition of a paragraph used, on p. 11, in the description of another scene – an example of the blurring of reality in the mind of the husband.

p. 43 **A . . . , dans la chambre:** the scene is that of A. writing the letter to Franck, first mentioned on p. 5.
Si parfois les thèmes s'estompent: the description of the song contained in this paragraph could well apply to the construction of *La Jalousie*.

p. 44 **Dans le fond du vallon:** another example of the husband's inability to sustain his wife's gaze. After three paragraphs he turns to watch her again. She again looks towards the window, and he turns away.

sans à-coup: 'steadily'.

p. 45 **De l'autre côté de la porte du couloir:** a change in time to the scene of the missing ice, occasioned by the reference to the native's song reaching the terrace.

p. 46 **Une feuille de papier:** this reference to the notepaper, which did not occur in the description of the scene in the second section, shows the way in which the husband remembers different details of significant events.

Il faut un commencement à tout: the repetition of the phrase which Franck used on p. 37 to explain an unlikely set of circumstances, accentuates the suspicion in the husband's mind that A. and Franck wish to be left alone on the terrace.

Tout en bas: the beginning of a series of changes of scene in which Franck is the principal figure. These changes lead the husband again to the scene of the crushing of the centipede (p. 48); on this occasion the husband considers in detail A.'s reactions.

p. 49 **amenée dans la vitre avec naturel par la conversation:** 'brought into view through the window quite naturally by the conversation'. The husband turns his head, at some unrecorded remark, and imagines Franck's car standing outside. The next paragraph shows a change in time to the scene where A. and Franck return from town. The husband is obsessed by his inability to see whether A. kisses Franck as she leans inside the car.

p. 50 **elle aperçoit toute la maison en enfilade:** 'she sees the whole house down the middle'.

p. 51   **A . . . y rentre à l'instant:** A. has become the centre of the husband's attentions, and in the concluding part of this section the husband imagines her at different times and in different attitudes.

p. 53   **Maintenant la maison est vide:** the sixth and seventh sections of the novel are those in which the crisis of jealousy seems to reach its climax. These sections are given the framework of the day which the husband spends alone in the house. As he goes from one room to the other, he gives his imagination free rein – hence the numerous shifts of time and scene.

p. 55   **Sur le mur d'en face, le mille-pattes est là:** the oil-stain in the courtyard, the shape of which is deformed by the faulty glass, brings into the husband's mind the stain of the centipede on the wall.
Soudain la partie antérieure du corps se met en marche: the husband imagines the death of the centipede, on this occasion removing Franck from the scene.

p. 56   **La meilleure solution consiste donc à employer la gomme:** the husband begins to remove the centipede's stain, first with a rubber, then with a razor.
Le papier se trouve aminci néanmoins: the husband imagines, or remembers, A. scratching out a word from a letter which she is writing; this comes to his mind through the noise and action of the rubber and the razor.

p. 57   **Elle se détache à présent sur le bois brun foncé du bureau:** the rubber and razor are lying next to the photograph of A. The husband now turns his attention to this.
L'opulente chevelure noire est libre sur les épaules: here a change of scene begins. The husband's mind leaves the photograph and remembers A. bending over some

work at her table (the transition is caused by the reference to A.'s hair). The scene is that described before on p. 18.

p. 58   **A . . . est debout sur la terrasse:** another change of scene. The line of the fastener on her dress, dividing her back in two, brings to mind the symmetry of the picture she presents standing on the terrace. This is followed immediately by two other pictures of A. standing: in the living-room, and then in the bathroom. This rapid changing of scene is continued to the end of the section: A. is seen reading on the terrace, speaking to the houseboy, preparing for her departure with Franck.

p. 67   **des pièces maîtresses:** 'important parts'.
         arbre faussé: 'a bent axle'.
         s'avance en pointe vers le large: 'juts out into the sea'.

p. 70   **il y a le mille-pattes:** after the seemingly neutral descriptions of the various parts of the house (which follow the movements of the husband), the sudden reintroduction of the centipede, grotesquely described, indicates the violence of the husband's jealousy.

p. 71   **Le bruit est celui du peigne dans la longue chevelure:** the imagined sound of the centipede becomes the sound of A. combing her hair.
         Franck, sans dire un mot, se relève: the husband imagines the crushing of the centipede taking place in a hotel bedroom; in the succeeding paragraphs there are references to a bed and a mosquito-net (which provides a veil, thus heightening the sensual content) and he imagines A.'s hand clenched on a sheet (whereas previously it was clenched on her knife and the tablecloth).
         en s'approchant à pas feutrés: 'stealing noiselessly up'.

p. 72   **Dans sa hâte d arriver au but:** the first two sentences in this paragraph share the ambiguity of Franck's references to himself as a poor mechanic; they also provide the transition to the hallucination of the car accident.

       Contre la paroi opposée de la chambre: the husband has returned to the bedroom, and is again looking at the calendar.

p. 73   **A l'intérieur du sous-main:** the husband has begun a search of A.'s room.

p. 74   **La chambre est close de nouveau:** the husband, having been to the window to determine the origin of the noise heard on the terrace, closes the blinds again.

       le piston de pompage a été actionné, à plusieurs reprises: 'the pump-valve was primed several times'.

p. 75   **Pareille à cette nuit sans contours:** by association of colour, the husband turns from the darkness of the night to the image of A.'s hair.

p. 79   **Entre la peinture grise qui subsiste:** this eighth section contains descriptions of scenes which have appeared earlier in the novel; on this occasion the husband pays particular attention to conversations between A. and Franck, seeking in them possible clues as to their behaviour.

       en profil perdu: 'her head turned away'.

p. 82   **Ils parlent, à bâtons rompus:** 'they are talking in desultory fashion'.

p. 84   **l'héroïne du roman africain:** Robbe-Grillet here uses the African novel, which deals with suspected adultery, as a parallel to emphasize the husband's suspicion.

       Franck paraît sur le point de lui en faire grief: 'Franck seems to hold it against her'.

p. 85   **Ensuite je n'aurai pas trop de tout l'après-midi:** 'the afternoon will just about be long enough'.

            Pour le déjeuner Franck est encore là: the repetition of the phrase first used on p. 6 suggests the continuing doubts of the husband, possibly some time after the trip into town. It is a reflection of his state of mind that after this remark the changes of scene become again more numerous.

p. 91   **Maintenant l'ombre du pilier se projette sur les dalles:** this short final section again repeats previously described scenes. The tone is altogether quieter, giving the impression that the immediate crisis of jealousy is passing.

p. 92   **Tout en bas:** another example of the husband's turning away as A. looks in his direction.

p. 93   **Le personnage principal du livre:** this paragraph, full of contradictions concerning the African novel, implies that, with regard to his own problem, the husband is unable to discover the truth, and never will be able to do so.

List of Works by Alain Robbe-Grillet

The works of Robbe-Grillet are published in Paris by Les Editions de Minuit. The translations are published in London by Calder & Boyars.

Les Gommes, roman, 1953 (trans. *The Erasers*, 1966).

Le Voyeur, roman, 1955 (trans. *The Voyeur*, 1959).

La Jalousie, roman, 1957 (trans. *Jealousy*, 1959).

Dans le Labyrinthe, roman, 1959 (trans. *In the Labyrinth*, 1968).

L'Année dernière à Marienbad, ciné-roman, 1961 (trans. *Last Year at Marienbad*, 1962).

Instantanés, nouvelles, 1962 (trans. *Snapshots*, 1966. Included in the same volume as *Towards a new novel*).

Pour un nouveau roman, 1963[1] (trans. *Towards a new novel*, 1966).

L'Immortelle, ciné-roman, 1963.

La Maison de Rendez-vous, roman, 1965.

---

[1]This volume contains all the major articles previously published by Robbe-Grillet.

Select Vocabulary

This vocabulary is limited to less common French words and the meanings given are those in which they occur in the text. Words and phrases of which there is an explanation or translation in the notes are omitted unless they are used elsewhere in the text in a different sense. Adjectives are given in the masculine form only.

acajou m. mahogany
accaparer to capture
accolade f. embrace
accoster to moor
accoudoir m. elbow-rest
accroupi crouching
accru increasing
adosser (s') to lean back against
agrémenter to embellish
aigu shrill
aiguille f. needle
aisance f. ease
ajouré perforated
aléa m. chance
amas m. pile
amenuiser (s') to shrink
en amont up-stream
amortisseur m. shock-absorber
amortir to deaden
amovible detachable
anguleux angular
anneau m. (i) joint; (ii) ring
annulaire m. ring-finger
appontement m. pier
araignée f. spider
arborer to raise
argenté silver
arrondi m. knoll
aspérité f. roughness
en aval down-stream

bâche f. tarpaulin

baguette f. cord
ballot m. bale
barre d'appui f. handrail
bas-fond m. low ground
bavure f. smudge
béton m. concrete
de/en biais at an angle
bifurcation f. fork
en bisceau bevelled
bombé bulging
bouchon m. ball
boueux muddy
bouillie f. pulp
bourdonner to buzz
broncher to move
brouillé tangled
brousse f. brush
buée f. film
bulle f. bubble

cahot m. jolt
caillouteux pebbly
camionnette f. truck
cannelure f. groove
caoutchouc m. rubber
capot m. bonnet
capuchon m. cap
carnassier m. carnivore
carrelage m. tiled floor
carter m. crank-case
case f. tray

108

casier m. drawer
casse-croûte m. snack
cassure f. break
censé supposed
chambranle m. window-frame
charpente f. framework
château m. forecastle
chaussée f. roadway
chauve-souris f. bat
chevaucher (se) to overlap
cheville f. ankle
chevron m. rafter
chiffre m. figure
cicatrice f. scar
ciller to blink
cintré curved
claquement m. slap
classeur m. file
cloison f. partition
coiffeuse f. dressing-table
coléoptère m. beetle
collant close-fitting
combustible m. fuel
commode f. chest of drawers
comptage m. numbering
conduit m. pipe
conduite-intérieure f. saloon car
congénère of the same species
contenu restrained
contremaître m. foreman
convive m. guest
corpuscle m. small body
coulisser to slip
courbure f. curve
couvre-chef m. hat
crépuscule m. twilight
crémone f. casement bolt
creux hollow
crevaison f. puncture
crin m. horsehair
crisper to clench
crissement m. grating
croisée f. casement window
cru harsh
cruche f. jug
crue f. flood
cuisse f. thigh
curviligne curved
cuve f. container

dalle f. flagstone
débit m. flow
décelable perceptible
défricher to clear
délavé faded
démarche f. gait
démarrage m. start
demi-bas m. knee-sock
dénombrement m. enumeration
déprimé depressed
derechef once more
déroutant confusing
déshabillé m. dressing-gown
dessus m. top
dévisager (se) to look at each other
dévissage m. unscrewing
distordu distorted
dossier m. chair back
douche f. shower

écaille f. scale
écailler (s') to flake off
échafauder to construct
échancrure f. notch
écheveau m. skein
écrou m. screw
effilé tapering
élytre m. wing-case
embardée f. skid
emboîter to join
embranchement m. side-road
embrasure f. window-frame
emmêlement m. convolution
empaillé stuffed
emplette f. purchase
empreinte f. mark
encadrer to enclose
enchevêtrement m. tangle
enduire to plaster
enjoué light-hearted
enquérir (s') to inquire
entrebâillé ajar
entaille f. notch
entamer to cut into
entrecroisement m. criss-crossing
envers m. reverse
épave f. flotsam
éperon m. spur
épingle f. pin

épluchure f. peel
escroquerie f. fraud
espadrille f. canvas shoe
essaim m. swarm
estomper (s') to become blurred
étourdissant deafening
étrave f. stem

faisceau m. bundle
farder to make up
fendillement m. cracking
fente f. crack
feston m. zigzag
feutre m. felt
figer to petrify
filet m. thread
filin m. rope
flou blurred
fortuit fortuitous
de fortune makeshift
franger (se) to be fringed with
fredonner to hum
frigo m. refrigerator
froissement m. rustling
fronton m. pediment

gauchir to warp
glauque blue-green
gond m. hinge
gorgée f. mouthful
goudron m. tar
grésillement m. crackling
grincer to squeak
grognement m. growl

hachuré criss-crossed
hérissé bristly
hocher to nod
houle f. swell

igname f. yam
imbriqué imbricated
impair odd
inculte uncultivated
incurver to curve
indigène m. native
inusité unusual

jalonner to mark out
ambage m. pen-stroke

lame f. slat
lamelle f. strip
latte f. slat
lin m. linseed
liséré m. border
lisse smooth
livraison f. delivery
losange m. rhombus
lustré shining

machinal mechanical
maculer to stain
manchon m. cylinder
mandibule f. mandibule
maquillage m. make-up
margouillat m. grey lizard
mat dull
mèche f. curl
médian central
médius m. middle finger
membraneux filmy
menton m. chin
moignon m. stump
montant m. jamb
motte f. clod of earth
mou soft
moulure f. moulding
moustique m. mosquito
muretin m. low wall
mutisme m. silence

nacre f. mother-of-pearl
nasillard nasal
natte f. carpet
nuque f. nape of the neck

office f. pantry
ordonnance f. arrangement
ossature f. frame
ourlet m. edge

pair even
paludisme m. malaria

panache m. tuft
panne f. breakdown
papillon m. butterfly
parcelle f. sector
paroi f. side
parsemer to sprinkle
passerelle f. footbridge
patte d'épaule f. shoulder-strap
pédonculé stalked
peigne m. comb
pelote f. ball
pelucheux downy
pêne m. latch
pénombre f. shadows
phalange f. finger-joint
phare m. headlight
pignon m. gable-end
pile f. flashlight
pirogue f. canoe
piton m. eye-bolt
de plain-pied on a level
plant m. sapling
plinthe f. skirting-board
plisser to crease
pochoir m. stencil
poignet m. cuff
pointillé stippled
pommette f. cheek-bone
ponçage m. rubbing down
poussée f. growth
poutrelle f. beam
punaise f. drawing-pin

en quinconce in quincunx; in alternate
  rows

raccord m. repair
raccorder to join
raccourcissement m. reduction
rainure f. groove
rallonge f. extension
au ras de on a level with
rayonnage m. shelving
rebroussement m. retracing
récolte f. harvest
rectiligne straight
redouter to fear
régime m. stem
rejet m. new growth

remailler to mend
rentrant receding
ressaut m. projection
rétrécir to narrow
rictus m. grin
rive f. bank
rondin m. log
ronronnement m. humming
roussi scorched
roux reddish
rugueux rough

saccadé jerky
saillant; en saillie protruding
sali stained
salissure f. stain
sangle f. strap
scarabée m. beetle
scutigère f. centipede
semelle f. sole
seuil m. threshold
sillon m. furrow
socle m. base
soubassement m. substructure
souche f. stump
sous-main m. writing-pad
strier to streak
supputer to calculate
svelte slender

tablier m. flooring
tendre to stretch
teinte f. colour
ténu tenuous
terre-rouge f. red clay
tiers m. third
tige f. stalk
tôle f. sheet-iron
torsade f. twist
touffu thick
trainée f. streak
tranchant m. edge
transpirer to perspire
trapèze m. trapezium
tricot de corps m. undershirt

vautour m. vulture
veine f. grain
ventre m. bulge

verdi greenish
venimeux venomous
vernir to varnish
verrou m. bolt
versant m. slope
virage m. bend

voirie f. highways
volant m. steering-wheel
volige f. batten
volute f. scroll
vrombiseement m. drone